MAURICE LEBLANC

813 A Dupla Vida de
Arsène Lupin

ENCONTRE MAIS
LIVROS COMO ESTE

Copyright desta tradução © IBC - Instituto Brasileiro De Cultura, 2021

Título original: 813 by Maurice Leblanc
Reservados todos os direitos desta tradução e produção, pela lei 9.610 de 19.2.1998.

3ª Impressão 2024

Presidente: Paulo Roberto Houch
MTB 0083982/SP

Coordenação Editorial: Priscilla Sipans
Coordenação de Arte: Rubens Martim (capa)
Produção Editorial: Eliana S. Nogueira
Tradução e preparação de texto: Fabio Kataoka
Diagramação: Rogério Pires
Revisão: Cláudia Rajão

Vendas: Tel.: (11) 3393-7727 (comercial2@editoraonline.com.br)

Foi feito o depósito legal.
Impresso na China

Dados Internacionais de Catalogação na Publicação (CIP)
(eDOC BRASIL, Belo Horizonte/MG)

L445a   Leblanc, Maurice, 1864-1941.
         A vida dupla de Arsène Lupin / Maurice Leblanc. – Barueri, SP:
         Camelot Editora, 2021.
         15,1 x 23 cm – (813; v. 1)

         ISBN 978-65-87817-13-2

         1. Ficção francesa. 2. Literatura francesa – Romance. I. Título.

         CDD 843

Elaborado por Maurício Amormino Júnior – CRB6/2422

IBC — Instituto Brasileiro de Cultura LTDA
CNPJ 04.207.648/0001-94
Avenida Juruá, 762 — Alphaville Industrial
CEP. 06455-010 — Barueri/SP
www.editoraonline.com.br

SUMÁRIO

Introdução 5

Capítulo 1 - A Tragédia do Palace Hotel 7

Capítulo 2 - A Etiqueta Azul 19

Capítulo 3 - Sr. Lenormand em Cena 43

Capítulo 4 - Príncipe Sernine em Cena 59

Capítulo 5 - A volta do Sr. Lenormand 87

Capítulo 6 – Sr. Lenormand é Derrotado 103

Capítulo 7 - Parbury-Ribera-Altenheim 121

Capítulo 8 - O Sobretudo Oliva 143

INTRODUÇÃO

Nesta história encontramos um Arsène Lupin diferente. Mais sério e enigmático, às voltas com muitas mortes misteriosas e violentas.

Deparamos com reviravoltas imprevisíveis e armações sofisticadas que começam com o assassinato de um multimilionário alemão instalado em um hotel em Paris: Sr. Rudolf Kesselbach, o rei dos diamantes.

Entram em cena o jogo de poder na polícia e na justiça de Paris, envolvendo vários escalões, de guardas a agentes, delegados, procurador e juiz. Há também agentes duplos, delatores, corruptos e trapalhões.

Temos também Arsène Lupin emotivo, sentimental, raivoso, descontrolado, passional e apaixonado. Uma história de sucesso em 1910 e reapresentado em 1917 no auge da Primeira Guerra Mundial, publicada em *Le Journal*, em vez do folhetinesco *Je sais tout*, das séries anteriores de Maurice Leblanc.

Capítulo 1

A TRAGÉDIA DO PALACE HOTEL

O Sr. Kesselbach parou de repente na soleira da porta, segurou o braço de seu secretário e murmurou com voz inquieta:

— Chapman, alguém esteve aqui de novo.

— Certamente não. O senhor acaba de abrir pessoalmente a porta da antessala, e enquanto almoçávamos no restaurante a chave não saiu do seu bolso.

— Chapman, alguém esteve aqui de novo — repetiu o Sr. Kesselbach.

Apontou para uma maleta de viagem colocada sobre a lareira.

— Veja, aí tem a prova. Esta maleta estava fechada. Não está mais.

Chapman protestou:

— O senhor tem certeza de que a fechou? Além disso, essa maleta contém apenas bugigangas sem valor, produtos de higiene...

— Ela só contém isso porque eu tirei minha carteira antes de sair, como uma precaução... caso contrário... Não, eu estou dizendo a você, Chapman, que alguém entrou aqui enquanto estávamos almoçando.

Na parede havia um telefone. Tirou o fone do gancho.

— Alô... Sou o Sr. Kesselbach... do apartamento 415... Isso mesmo, senhorita, quero fazer uma ligação para a polícia... Sim, a Sûreté... Eu tenho o número... um segundo... Ah! lá... é o número 822.48... Estou esperando no apare-

— É do 822.48? Gostaria de dizer algumas palavras ao Sr. Lenormand, o chefe da Sûreté. É Kesselbach... Alô? Sim, é com a autorização dele que ligo... Ah! Ele não está... Com quem tenho a honra de falar? Sr. Gourel, inspetor de polícia... Parece, Sr. Gourel, que o senhor esteve ontem presente na minha reunião com Sr. Lenormand... Bem! Senhor, a mesma coisa aconteceu novamente hoje. Entramos no apartamento que eu ocupo. E se o senhor entrar agora, talvez possa descobrir, pelas pistas... Em uma ou duas horas? Perfeitamente... Basta pedir o apartamento 415. Mais uma vez, obrigado!

Rudolf Kesselbach estava de passagem por Paris. Conhecido como o rei dos diamantes ou rei do Cabo, o multimilionário tinha a fortuna calculada em mais de cem milhões de francos. Ele ocupou durante uma semana, no quarto andar do Palace-Hotel, o apartamento 415, composto por três cômodos, incluindo sala de estar, quarto principal, que dava para a avenida. O outro, à esquerda, que servia ao secretário Chapman, dava para a rua de Judée.

Perto desse apartamento, outro de cinco cômodos estava reservado para Sra. Kesselbach, que devia deixar Monte Carlo, onde se encontrava atualmente, para reunir-se ao marido assim que ele a chamasse.

Por alguns minutos Rudolf Kesselbach andou de um lado para outro, com ar preocupado. Era um homem alto, corado, ainda jovem, a quem uns olhos sonhadores, percebidos através de seus óculos de aros de ouro, davam uma expressão de doçura e timidez, contrastando com a testa quadrada e o queixo ossudo.

Ele foi até a janela: estava fechada. Como alguém poderia ter entrado por ali? A varanda privada do apartamento se interrompia à direita; à esquerda, estava separada por uma fenda de pedra das varandas dos prédios da rua de Judée.

Passou ao seu quarto: não havia qualquer comunicação com os cômodos vizinhos. Foi ao quarto de seu secretário; a porta que dava para o apartamento reservado para a Sra. Kesselbach estava fechada, trancada a chave.

— Não consigo entender nada, Chapman, pois já por diversas vezes constatei aqui coisas estranhas, você há de convir. Ontem foi a minha bengala que estava fora do lugar... Anteontem, tenho absoluta certeza de que mexeram nos meus papéis... Não posso compreender como isso teria sido possível!

— É impossível, senhor — exclamou Chapman, cuja plácida figura de homem honesto não demonstrava nenhuma inquietação. — Não passam de simples suposições. O senhor não tem prova alguma... nem impressões... E além do mais, de que maneira? Não se pode entrar neste apartamento a não ser pelo corredor. Ora, o senhor mandou fazer uma chave especial no dia de sua chegada e apenas seu empregado, Edwards, possui uma cópia dela. O senhor não tem confiança nele?

— Claro! Está há dez anos a meu serviço... Mas Edwards almoça na mesma hora que nós, o que é um erro. De agora em diante ele só poderá descer depois que retornarmos.

Chapman ergueu levemente os ombros. Decididamente o rei do Cabo estava ficando um tanto estranho com seus temores inexplicáveis. Que risco poderiam eles correr num hotel, sobretudo não guardando consigo ou perto de si nenhum valor, nenhuma grande soma em dinheiro? Ouviram abrir-se a porta do corredor. Era Edwards. Kesselbach o havia chamado.

— Você está de uniforme, Edwards? Ah, bem! Não espero visitas hoje, Edwards... ou melhor, sim, apenas uma visita, a do senhor Gourel. Você ficará no corredor, vigiando a porta. Temos que trabalhar seriamente, o Sr. Chapman e eu.

O trabalho sério durou alguns momentos durante os quais o Sr. Kesselbach examinou sua correspondência, passou por três ou quatro cartas e indicou as respostas a serem dadas. Mas de repente Chapman, que estava esperando com sua pena levantada, percebeu que o Sr. Kesselbach estava pensando em outra coisa além de sua correspondência.

Ele estava segurando entre os dedos, e olhando atentamente, um alfinete preto curvado na forma de um gancho.

— Isso significa algo, este alfinete curvo. Aqui está uma prova, uma amostra. E você não pode mais fingir que não entraram nesta sala. Afinal, esse alfinete não veio andando sozinho.

— Claro que não — respondeu o secretário — fui eu quem o trouxe.

— Como?

— Sim, é um alfinete que uso para prender gravata ao colarinho. Tirei-o ontem à noite, enquanto o senhor lia. Mecanicamente, o entortei.

Sr. Kesselbach levantou-se encabulado, deu alguns passos pela sala e parou:

— Você está achando engraçado, Chapman... e tem razão... Não posso discutir, sei que ando bastante paranoico, desde a última viagem que fiz à Cidade do Cabo. É que... eis aí... você não sabe o que há de novo em minha vida... um projeto formidável... uma coisa enorme... coisa que ainda vejo envolta na neblina do futuro, mas que começa a tomar forma... e que será colossal... Ah! Chapman, você nem pode imaginar. O dinheiro, o dinheiro pouco me importa, eu tenho... tenho até demais... Mas isso vai um pouco além, é o poder, a força, a autoridade. Se a realidade estiver de acordo com o que espero, não serei mais apenas o rei do Cabo, mas rei de outros reinados... Rudolf Kesselbach, filho de um funileiro de Augsbourg, andará lado a lado com pessoas que até agora o tratam com desprezo... Ele irá mais longe ainda, Chapman, será mais do que eles, esteja bem certo disso... e se alguma vez...

Fez uma pausa, olhou Chapman como se estivesse arrependido de haver falado demais; porém, ainda tomado de entusiasmo, concluiu:

— Você compreende, Chapman, as razões da minha inquietação... Tenho na cabeça uma ideia que vale muito... e existe alguém que já suspeita disso... talvez até me espione, tenho quase certeza disso...

Soou uma campainha.

— O telefone — disse Chapman. Pegou o aparelho.

— Alô!... Quem? O coronel?... Ah! Bem! Sim sou eu... Alguma coisa nova?... Perfeito... Então estou esperando pelo senhor... Vem com seus homens? Perfeito... Olá! Não, não seremos incomodados... Eu darei as ordens necessárias... Então é tão grave?... Repito que as instruções serão formais... meu secretário e meu criado ficarão de guarda na porta, e ninguém vai entrar. Conhece o caminho, não é? Portanto, não perca um minuto.

Pôs o fone no gancho e disse:

— Chapman, dois senhores virão aqui... Sim, dois senhores... Edwards fará com que entrem...

— Mas... o Sr. Gourel, o investigador...

— Ele chegará mais tarde... dentro de uma hora... E além disso não há problema, eles podem se encontrar. Portanto, diga a Edwards que vá imediatamente à portaria e previna a esse respeito. Não estou para ninguém... a não ser para dois senhores, o coronel e seu amigo, e para o Sr. Gourel. Faça com que anotem seus nomes.

Chapman cumpriu a ordem. Quando voltou encontrou o Sr. Kesselbach segurando um envelope, ou melhor, uma pequena bolsa de marroquim preto, aparentemente vazia. Parecia hesitar sem saber o que fazer com ela. Iria guardá-la no bolso ou colocá-la em outro lugar? Finalmente aproximou-se da lareira e jogou-a dentro de sua maleta de viagem:

— Terminemos a correspondência, Chapman. Tenho ainda dez minutos. Ah! Uma carta da Sra. Kesselbach! Como você esqueceu de me avisar, Chapman? Não reconheceu a letra?

Não conseguia esconder a emoção que sentia ao tocar e contemplar esse papel em que sua mulher tocara, onde pusera um pouco de seu pensamento secreto. Aspirou o perfume e, abrindo-a, leu-a lentamente, baixinho, deixando escapar alguns fragmentos que eram ouvidos por Chapman.

— Um pouco cansada... não saio do quarto... eu me aborreço... Quando poderei ir até você? Um telegrama seu seria bem-vindo...

— Você telegrafou esta manhã, Chapman? Assim Sra. Kesselbach poderá estar aqui amanhã, quarta-feira.

Parecia feliz, como se o peso dos seus negócios de súbito se aliviasse, livrando-o de qualquer inquietação. Esfregou as mãos e respirou profundamente, como um homem forte, certo de vencer, como um homem feliz que tinha não apenas a felicidade, mas também o poder para defendê-la.

— Tocaram, Chapman. Tocaram a campainha lá fora. Vá atender.

Mas Edwards entrou e disse:

— Dois homens perguntam pelo senhor. São as pessoas...

— Eu sei. Estão na antessala?

— Estão, senhor.

— Feche a porta da antessala e não abra mais... salvo ao Sr. Gourel, investigador da Sûreté. Você, Chapman, vá buscar esses senhores e diga-lhes que quero falar primeiro com o coronel, o coronel sozinho.

Edwards e Chapman saíram fechando a porta atrás de si. Rudolf Kesselbach dirigiu-se para a janela e apoiou a testa na vidraça.

Na rua, bem abaixo de si, os carruagens e automóveis rodavam em vias paralelas, marcando a linha dupla das calçadas. Um claro sol de primavera fazia brilhar os metais e os vernizes. As árvores começavam a cobrir-se de verde e as castanheiras abriam suas folhas recém-brotadas.

— Que diabo estará fazendo Chapman? — murmurou Kesselbach. — Tempo que ele perde falando...

Pegou um cigarro em cima da mesa, acendeu-o, deu algumas tragadas e soltou um grito abafado. Perto dele, de pé, estava um homem a quem não conhecia. Recuou um passo.

— Quem é o senhor?

O homem — um indivíduo bem vestido, elegante, de cabelos e bigodes negros, olhar duro, deu uma risadinha de escárnio:

— Quem sou eu? Ora, o coronel!...

— Não, não é aquele a quem chamo assim, aquele que me escreve assinando assim, convencionalmente... não é o senhor.

— Sim... sim... o outro não passa de... Mas vejamos, meu caro senhor, tudo isso não tem a menor importância. O essencial é que eu seja eu. E eu, juro que o sou.

— Mas, afinal, senhor, qual o seu nome?

— Coronel, até nova ordem...

Um medo crescente invadia o Sr. Kesselbach. Quem era esse homem? O que desejava ele? Chamou:

— Chapman!

— Que ideia ridícula essa de chamar alguém! Não lhe basta a minha companhia?

— Chapman! — repetiu Kesselbach. — Chapman! Edwards! — Chapman! Edwards!

O desconhecido disse:

— O que fazem vocês, meus amigos? Será que não ouviram que estão sendo chamados?

— Senhor, eu vos peço, vos ordeno, deixe-me passar.

— Mas, meu caro senhor, quem impede? — afastou-se polidamente.

O Sr. Kesselbach avançou para a porta aberta, outro homem apontava-lhe um revólver. Gaguejou:

— Edwards... Chap...

Não concluiu. Percebeu num canto da antessala, estendidos no chão, lado a lado, amarrados e amordaçados, o secretário e o empregado.

O Sr. Kesselbach, apesar de sua natureza inquieta e impressionável, era corajoso, e o sentimento da existência de um perigo real em lugar de abatê-lo trouxe-lhe de volta toda a sua energia.

Lentamente, simulando ainda surpresa e medo, recuou em direção à lareira e apoiou-se na parede. Seu dedo buscava a campainha elétrica.

Encontrou-a e apertou-a demoradamente.

— E agora? — disse o desconhecido.

Sem responder, o Sr. Kesselbach continuava a apertar a campainha.

— E então? Espera que venha alguém, que todo o hotel esteja em polvorosa porque está apertando este botão?... Mas, meu pobre senhor, olhe para trás e veja que o fio foi cortado.

Kesselbach voltou-se rapidamente, como se quisesse certificar-se, mas com um movimento ligeiro apanhou a bolsa de viagem e mergulhou a mão, tirando um revólver que apontou para o homem, puxando o gatilho.

— Ora vejam! — disse este. — Agora usa como munição ar e silêncio?

Apertou o gatilho pela segunda vez e ainda uma terceira. Nenhuma detonação se fez ouvir.

— Só mais três vezes rei do Cabo. Só ficarei realmente contente com seis balas no corpo. Como? Desiste? É uma pena... pois o cartão de visitas prometia muito mais...

Segurou uma cadeira pelo encosto, virou-a e sentou-se como se cavalgasse. Apontou uma poltrona ao Sr. Kesselbach e disse:

— Faça o favor de sentar-se, meu caro senhor, e fique à vontade, como se estivesse em sua própria casa. Um cigarro? Para mim não. Prefiro charutos. Sobre a mesa havia uma caixa. Escolheu um Upman claro, acendeu-o e inclinou-se:

— Obrigado. Este charuto é delicioso... E agora, se assim o desejar, podemos conversar, não?

Rudolf Kesselbach estava estupefato... Quem era esse estranho personagem? Ao vê-lo agora, tão tranquilo e falador, também ele pouco a pouco se acalmava e começava a crer que poderia sair daquilo sem sofrer violência ou brutalidade. Tirou do bolso uma carteira, abriu-a, exibiu um respeitável punhado de notas, e perguntou:

— Quanto?

O outro olhou-o com ar espantado, como se custasse a compreender. Por fim, depois de certo tempo, chamou:

— Marco!

O homem que apontara o revólver adiantou-se.

— Marco, o cavalheiro teve a gentileza de oferecer estas bagatelas, estes trocados, para você comprar algo para sua amiga. Aceite, Marco.

Sempre apontando o revólver com a mão direita, Marco estendeu a esquerda, apanhou as notas e retirou-se.

— Já que essa questão está resolvida de acordo com sua vontade, vamos agora ao motivo de minha visita. Serei o mais breve e preciso possível. Quero duas coisas: uma pequena bolsa de marroquim preto que geralmente o senhor carrega consigo; depois uma pequena caixa de ébano que ainda ontem se encontrava nesta mala de viagem. Portanto, procedamos por ordem: a bolsa de marroquim?

— Queimei-a.

O desconhecido franziu as sobrancelhas. Parecia estar se lembrando de outros tempos, quando existiam meios mais persuasivos de obrigar a falar aqueles que teimavam em se manter calados.

— Vá lá. Depois veremos. E a caixa de ébano?

— Queimei-a também.

— Ah! — rosnou e torceu-lhe o braço firmemente.

— Ontem, Rudolf Kesselbach, ontem o senhor entrou no Crédit Lyonnais, no Boulevard des Italiens, procurando disfarçar um embrulho sob seu capote. Alugou um cofre-forte. Sejamos mais precisos: o cofre de número 16, traço 9.

Depois de ter assinado e pago, desceu ao subsolo e, quando retornou, não mais estava com o pacote escondido. Não é exato?

— Absolutamente.

— Assim, a caixa e a bolsa estão no Crédit Lyonnais?

— Não.

— Dê-me a chave do cofre.

— Não.

— Marco!

Marco apareceu rapidamente.

— Vá em frente, Marco, o nó quádruplo.

Antes mesmo de ter tempo de ficar na defensiva, Rudolf Kesselbach foi preso em um conjunto de cordas que machucaram sua carne assim que ele tentou lutar. Seus braços estavam imobilizados atrás das costas, o tronco amarrado à cadeira e as pernas enroladas em bandagens como as pernas de uma múmia.

— Procure, Marco.

Marco procurou. Dois minutos depois entregava a seu chefe uma pequena chave niquelada, com os números 16 e 9.

— Perfeito. Nada quanto à bolsa de marroquim?

— Nada, chefe.

— Ela está no cofre. Sr. Kesselbach, quer me informar o segredo do cofre?

— Não.

— O senhor recusa?

— Recuso.

— Marco?

— Chefe?

— Encoste o cano do seu revólver na cabeça do cavalheiro.

— Pronto.

— Pressione o dedo no gatilho.

— Pronto.

— Pois bem, meu velho Kesselbach, está agora decidido a falar?

— Não.

— Tem apenas dez segundos, nem um segundo a mais. Marco?

— Chefe?

— Dentro de dez segundos você fará saltar o cérebro do cavalheiro.

— Entendido.

— Kesselbach, vou contar: um, dois, três, quatro, cinco, seis...

Rudolf Kesselbach fez um sinal.

— Quer falar?

— Quero.

— Já era tempo. Agora, vamos tratar do segredo... a palavra-chave?...

— Dolor.

— Dolor... Dor... Sra. Kesselbach se chama Dolores? Meu caro Marco, vá fazer o que já foi combinado... Não quero nada de errado, hein? Recapitulemos... você vai encontrar Jerome onde você já sabe, entregará a ele a chave e dirá o segredo do cofre: Dolor. Irão juntos ao Crédit Lyonnais. Jerome entrará sozinho, assinará o registro de identidade, descerá ao porão e apanhará tudo que se encontre no cofre. Compreendido?

— Compreendo, patrão. Mas se por acaso o cofre não se abrir, se a palavra Dolor...

— Cale-se, Marco. Ao sair do Crédit Lyonnais, você deixará Jerome e voltará para casa, de onde me telefonará dando o resultado da operação. Se porventura a palavra Dolor não abrir o cofre, teremos — nosso amigo Kesselbach e eu — uma pequena conversa particular. Está certo, Kesselbach, de não ter se enganado?

— Estou.

— É que dessa forma evitaria uma busca inútil. Em todo caso, é o que veremos. Vá, Marco.

— E o senhor, chefe?

— Eu, eu fico. Oh, não tenha receio. Nunca corri um risco tão pequeno. Não é mesmo assim, Kesselbach, as ordens não foram terminantes?

— Sim.

— Diabo, você está falando isso de um jeito muito ansioso. Será que está querendo ganhar tempo? Nesse caso, eu fico preso numa armadilha, como um idiota?...

Refletiu, olhou seu prisioneiro e concluiu:

— Não, não é possível... Acredito que não seremos mesmo incomodados...

Mal acabara de dizer esta última palavra, quando a campainha soou. Com a mão, tapou violentamente a boca de Rudolf Kesselbach.

— Ah! Velha raposa, esperava alguém! Os olhos do prisioneiro brilharam de esperança.

Ouviram sua risada por baixo da mão que o sufocava. O homem tremia de raiva.

— Cale-se, caso contrário eu o estrangulo. Vamos, Marco, amordace-o rapidamente... Ótimo.

Tocaram novamente. Ele gritou como se fosse Rudolf Kesselbach e Edwards estivesse lá fora:

— Abra logo, Edwards.

Depois passou discretamente para a antessala e, à meia-voz, apontando o secretário e o empregado, disse:

— Marco, ajude-me a levá-los para o quarto... lá... de maneira que não possam ser vistos.

Levantou o secretário; Marco levou o empregado.

— Tudo bem, volte para a sala.

Seguiu-o, passando novamente pela antessala e ao mesmo tempo falando bem alto, em tom de espanto:

— Mas o empregado não está aqui, Sr. Kesselbach... Não, não se incomode... termine sua carta... Eu mesmo atenderei.

Tranquilamente abriu a porta de entrada.

— Sr. Kesselbach? — perguntaram.

Encontrou à sua frente um verdadeiro colosso, um gigante de rosto largo, alegre, olhos vivos, balançando-se de um lado para outro sobre os pés, torcendo nas mãos a aba do chapéu. Respondeu:

— Perfeitamente, é aqui. A quem devo anunciar?

— O Sr. Kesselbach telefonou-me... ele está à minha espera...

— Ah! É o senhor... vou avisá-lo... quer esperar um minuto? O Sr. Kesselbach vai recebê-lo.

Teve a audácia de deixar o visitante na soleira da porta da antessala, de um ponto de onde ele poderia, pela porta aberta, ver uma boa parte da sala. E lentamente, sem se voltar uma vez sequer, entrou, reuniu-se a seu cúmplice ao lado do Sr. Kesselbach, e sussurrou-lhe.

— Estamos em maus lençóis... Trata-se do senhor Gourel, da Sûreté.

Marco empunhou a faca. O outro deteve-lhe o braço.

— Nada de asneiras, hein! Tenho uma ideia. Mas pelo amor de Deus, procure entender-me bem, Marco, e depois fale por sua vez... Fale como se fosse Kesselbach... Entendeu bem, Marco, você é Kesselbach.

Ele se exprimia com tanto sangue-frio e autoridade, tão forte, que Marco compreendeu, sem maiores explicações, que deveria representar o papel de Kesselbach, e pronunciou de maneira a ser ouvido:

— Desculpe-me, meu caro. Diga ao Sr. Gourel que sinto-me desolado, mas tenho muito o que fazer, e urgentemente... Eu o receberei amanhã às nove horas, sim, exatamente às nove horas.

— Está bem — sussurrou o outro —, não se mexa daí.

Voltou ao vestíbulo. Gourel o esperava. Disse-lhe:

— O Sr. Kesselbach pede-lhe desculpas. Está acabando um trabalho importante. Seria possível que o senhor viesse amanhã pela manhã, às nove horas? Houve um instante de silêncio. Gourel parecia surpreso e vagamente inquieto. Com a mão dentro do bolso, o homem fechou o punho. Um gesto equivocado e atacaria.

Finalmente Gourel disse:

— Seja... Amanhã às nove horas... mas apesar de tudo... Pois bem, está certo, às nove horas estarei aqui.

Recolocando o chapéu na cabeça, afastou-se pelos corredores do hotel.

Marco deu uma gargalhada:

— Esta foi boa, chefe. Ah! Como o senhor conseguiu enganá-lo!

— Agora é você, Marco, trate de fazer a sua parte. Veja que ele saia do hotel e vá encontrar Jerome como está combinado... e telefone.

Marco saiu rapidamente.

O homem então apanhou de sobre a lareira uma garrafa, encheu um grande copo com água e virou-se de uma vez; depois molhou seu lenço, banhou a testa coberta de suor, sentou-se ao lado do seu prisioneiro, e disse-lhe com uma afetada gentileza:

— Creio que agora, Sr. Kesselbach, é necessário que eu tenha a honra de apresentar-me.

E tirando do bolso um cartão de visitas, disse:

— Arsène Lupin, ladrão de casaca.

CAPÍTULO 2

A ETIQUETA AZUL

O nome do famoso aventureiro pareceu causar a melhor impressão ao Sr. Kesselbach. Lupin não deixou de notar e exclamou:

— Ah! ah! Caro senhor, vejo que respira aliviado! Arsène Lupin é um ladrão delicado, o sangue o repele, ele nunca cometeu nenhum outro crime além de se apropriar de propriedade alheia... um pecadinho! Ele não vai manchar seu currículo com um assassinato desnecessário. Ok... Mas a sua exclusão será inútil? Tudo está aqui. Agora, eu juro que não estou brincando. Vamos, camarada.

Aproximou sua cadeira da poltrona, afrouxou a mordaça de seu prisioneiro e falou claramente:

— Sr. Kesselbach, no mesmo dia de sua chegada a Paris, o senhor entrou em contato com o Sr. Barbareux, diretor de uma agência de informações confidenciais, e como o senhor agia sem conhecimento do seu secretário Chapman, quando se comunicava com o senhor por carta ou telefone, Barbareux usava o codinome de "coronel". Apresso-me a garantir-lhe que Barbareux é um homem da maior honestidade. Mas eu tenho a sorte de ter, entre os seus empregados, um dos meus melhores amigos. Foi assim que soube dos seus contatos com Barbareux e foi assim que tive oportunidade de me ocupar do senhor, e, graças a chaves falsas, fazer-lhe algumas visitas domiciliares... durante as quais, infelizmente, não pude encontrar o que procurava.

Ele baixou a voz e com os olhos nos de seu prisioneiro, examinando-o em busca de um pensamento obscuro, articulou:

— Sr. Kesselbach, o senhor encarregou Barbareux de descobrir na ralé de Paris um homem que usa, ou que usou, o nome de Pierre Leduc, e cuja descrição resumida é a seguinte: 1,75 de altura, loiro, com bigode. Sinal particular: devido a um ferimento, a extremidade do seu dedo mínimo da mão esquerda teve que ser amputada. Além disso, tem uma cicatriz quase invisível na face direita. Parece que o senhor julga muito importante a descoberta desse homem, uma importância enorme, que chega a dar a impressão que isso lhe trará grandes e consideráveis vantagens. Quem é esse homem?

— Eu não sei.

A resposta foi categórica, firme. Saberia ele ou não? Pouco importava. O essencial é que ele, ao que tudo indicava, estava decididamente disposto a não falar.

— Muito bem — disse seu adversário — mas tem informações mais detalhadas sobre ele do que as fornecidas a Barbareux?

— Nenhuma.

— Está mentindo, Sr. Kesselbach. Por duas vezes, diante de Barbareux, consultou papéis guardados em sua bolsa de marroquim.

— Certo.

— E essa bolsa?

— Queimada.

Lupin tremeu de raiva. Evidentemente a ideia da tortura e das facilidades que ela traria passou por sua cabeça.

— Queimada?... mas a caixa... confesse... confesse de uma vez que ela se encontra no Crédit Lyonnais?

— Está.

— E o que contém ele?

— Os duzentos mais belos diamantes de minha coleção particular.

Tal informação pareceu não aborrecer o aventureiro.

— Ah! Ah! Os duzentos mais belos diamantes! Mas diga-me, devem representar uma verdadeira fortuna... Sim, o faz sorrir... Para você é uma bagatela. O seu segredo vale muito mais do que isso... Para você, sim, mas para mim?...

Pegou um charuto, riscou um fósforo que deixou apagar-se maquinalmente e ficou algum tempo pensativo, imóvel. Os minutos passavam. Ele começou a rir.

— Espera que a minha expedição falhe e que não consigam abrir o cofre?

É possível, meu velho. Mas nesse caso terá que me pagar esse aborrecimento. Não vim até aqui apenas para admirar sua bela figura sentada numa poltrona... Os diamantes, já que eles existem... Ou, em caso contrário, a bolsinha de marroquim... Eis aí o dilema...

Consultou seu relógio.

— Meia hora... Droga!... O destino está dificultando as coisas... Mas não zombe, Sr. Kesselbach. Tem a minha palavra de honra que não permitirei que nada aconteça... Finalmente!

Soara a campainha do telefone. Lupin rapidamente apanhou o fone e, mudando a voz, imitou a entonação áspera do prisioneiro:

— Sim, sou eu, Rudolf Kesselbach... Ah! está bem, senhorita, pode completar a ligação... É você, Marco?... Perfeito... Foi tudo certo?... Ainda bem... Nenhum embaraço?... Cumprimentos, garoto... Então, o que apanharam? A caixa de ébano... Nada mais? Nenhum papel? Está bem!... E no cofre?... São belos esses diamantes?... Perfeito... perfeito... Um minuto, Marco, deixe-me pensar... tudo isso... Espere um pouco no aparelho...

Voltou-se:

— Sr. Kesselbach, quer muito seus diamantes?

— Quero.

— Quer comprá-los de mim?

— Talvez.

— Por quanto? Quinhentos mil?

— Quinhentos mil... certo...

— Há somente uma dúvida... Como faremos a venda? Um cheque? Não, pois ou eu serei enganado ou então o enganarei... Escute, depois de amanhã passe pelo Crédit Lyonnais, tire os quinhentos mil e vá passear no Bois, perto de Auteil... Eu terei os diamantes... num saco é mais prático, a caixa chama muita atenção...

— Não... não... a caixa também... eu quero tudo...

— Ah! — disse Lupin dando uma sonora gargalhada — caiu na minha armadilha... Os diamantes têm pouca importância... pois haverá outros para substituí-los... Mas quanto à caixa, não pode deixar de lado... Pois bem, terá a caixa... palavra de Lupin... amanhã de manhã, pelo correio! Retomou o telefone.

— Marco, você está com a caixa? O que tem ela de especial? De ébano, incrustado de marfim... sim, eu conheço isso, estilo japonês... Não tem nenhuma marca? Ah! Uma pequena etiqueta redonda, debruada de azul, com um número... sim, uma indicação comercial sem importância. E a parte de baixo da caixa é grossa? Não? Então você acha que não é possível que tenha um fundo falso... Diga-me, Marco, faça um exame cuidadoso nas incrustações de marfim em cima, ou melhor, na tampa.

Exultou e disse alegremente:

— A tampa! Não é, Marco? Kesselbach piscou os olhos... Estamos chegando perto!... Ah! Meu caro Kesselbach, não viu que eu o observava, seu desastrado!

Voltando a falar com Marco:

— E então, que me diz? Um espelho no interior da tampa? Esse espelho não corre?... Tem algumas ranhuras? Não... pois bem, quebre-o... Sim, estou mandando que o quebre... Não há nenhuma razão para existência desse espelho aí... Ele foi colocado de propósito.

Impacientou-se:

— Mas, imbecil, não interfira no que não lhe diz respeito. Basta que obedeça...

Devia ter ouvido o ruído que Marco fazia do outro lado da linha quebrando o espelho, pois exclamou triunfalmente:

— Eu não lhe disse, Sr. Kesselbach, que a caçada seria boa?... Alô? Está pronto? E então?... Uma carta? Vitória! Todos os melhores diamantes do Cabo e mais os segredos do grande homem!

Para ouvir melhor, pegou outro telefone do gancho e colocou os dois nos ouvidos e continuou:

— Leia, Marco, leia com calma... primeiro o envelope... Bem... agora, repita.

Ele mesmo ia repetindo:

— "Cópia da carta existente na sacola de marroquim preto." E que mais? Rasgue o envelope, Marco. Tenho sua permissão, Sr. Kesselbach? Sei que o que estou fazendo não é muito correto, mas afinal de contas... Prossiga, Marco, o Sr. Kesselbach já autorizou. Está pronto? Então leia.

Escutou e depois zombou:

— Caramba! Até que não é assim tão brilhante. Vamos resumir. Uma simples folha de papel dobrada em quatro, com as pregas parecendo coisa bem recente... Bem... No alto, à direita dessa folha, as palavras: 1,75 m, dedo mínimo esquerdo cortado, etc. Sim, é a descrição do senhor Pierre Leduc. A letra é de Kesselbach, não é?... Pois bem... E no meio da folha, em letras de forma maiúsculas: APOON

— Marco, meu pequeno, deixe o papel de lado, não toque nem na caixa nem nos diamantes. Dentro de dez minutos terei acabado com o meu bom homem. Daqui a vinte minutos estarei consigo... Ah! A propósito, mandou o automóvel de volta? Perfeito. Até já.

813 A DUPLA VIDA DE ARSÈNE LUPIN

Recolocou o telefone no gancho, passou para a antessala, pelo quarto, assegurou-se de que o secretário e o empregado não haviam escapado dos seus nós e ao mesmo tempo não corriam perigo de ficarem sufocados com as mordaças, e voltou ao prisioneiro. Tinha uma expressão resoluta, implacável.

— Vamos deixar de brincadeiras, Kesselbach. Se não falar, pior para você. Está decidido?

— A quê?

— Não faça asneiras. Diga o que sabe.

— Eu não sei nada.

— Mente. O que significa a palavra "Apoon"?

— Se eu soubesse não a teria escrito.

— Vá lá, mas ela se refere a quê? De onde a copiou? De onde veio ela?

Kesselbach não respondeu.

Lupin prosseguiu, mais nervoso, mais brusco:

— Escute, Kesselbach, vou lhe fazer uma proposta. Tão rico ou tão importante quanto você seja, não existe entre nós muita diferença. O filho do funileiro de Augsbourg e Arsène Lupin, príncipe dos ladrões, podem entrar num acordo sem qualquer desmerecimento para um ou para o outro. Eu roubo residências; você rouba na Bolsa. No fundo, é tudo a mesma coisa. Portanto, Kesselbach, vamos nos associar neste negócio. Preciso de você, pois não sei bem do que se trata. Você precisa de mim porque sozinho não fará nada, já que Barbareux é um idiota. Eu, eu sou Lupin. Está de acordo?

Silêncio. Lupin insistiu com a voz um pouco trêmula:

— Responda, Kesselbach, está de acordo? Se estiver, em 48 horas eu encontrarei Pierre Leduc. Porque é a ele que você procura, não? É esse o negócio? Por que o procura? Que sabe sobre ele? Quero saber.

Subitamente acalmou se, pôs a mão no ombro do alemão e disse secamente:

— Uma palavra apenas. Sim... ou não?

— Não.

Ele tirou, de um bolsinho de Kesselbach um magnífico cronômetro de ouro e colocou-o sobre os joelhos do prisioneiro. Desabotoou o colete de Kesselbach, abriu a camisa, descobriu o peito, catou uma adaga de aço de cabo dourado que se achava perto dele, sobre a mesa, colocou a ponta no local onde as batidas do coração faziam palpitar a carne nua.

— Pela última vez?

— Não.

— Sr. Kesselbach, faltam oito minutos para as três horas. Se dentro de oito minutos não tiver respondido, o senhor estará morto.

* * *

Na manhã do dia seguinte, exatamente na hora que lhe fora marcada, o sargento Gourel apresentou-se no Palace Hotel. Sem parar, desdenhou o elevador e subiu as escadas. No quarto andar virou à direita, seguiu pelo corredor, e foi tocar na porta do nº 415.

Não ouvindo nenhum ruído, tocou novamente. Depois de meia dúzia de tentativas inúteis, dirigiu-se para o escritório do andar superior. Aí encontrou um funcionário.

— O Sr. Kesselbach não está? Já bati umas dez vezes em sua porta.

— O Sr. Kesselbach não dormiu em seu apartamento. Não o vimos desde a tarde de ontem.

— E seu empregado e seu secretário?

— Também não foram vistos.

— Então eles também não dormiram no Hotel?

— Provavelmente.

— Provavelmente! Mas o senhor deveria ter certeza do que está dizendo.

— Por quê? O Sr. Kesselbach não é hóspede do hotel, está em seu apartamento particular. Seu atendimento não é feito por nós e sim por seu próprio empregado, e não sabemos nada do que se passa em seu apartamento.

— Tem razão... tem razão...

Gourel parecia muito envergonhado. Ele tinha vindo com ordens formais, uma missão precisa, dentro dos limites da qual sua inteligência poderia ser exercida. Fora desses limites, ele não sabia muito bem como agir.

— Se o chefe estivesse aqui... — murmurou. — Se o chefe estivesse aqui...

Mostrou seus documentos, identificando-se. Depois perguntou como se fosse casualmente:

— Então vocês não os viram voltar?

— Não.

— Mas viram quando saíram?

— Também não.

— Nesse caso, como sabem que eles saíram?

— Por um senhor que esteve ontem à tarde no 415.

— Um senhor de bigodes escuros?

— É. Encontrei-o mais ou menos às três horas, quando saía. Ele me alertou: "Os moradores do 415 acabaram de sair. O Sr. Kesselbach dormirá esta noite em Versalhes, em Réservoirs, para onde deverá ser enviada sua correspondência".

— Mas quem era esse senhor? Com que direito ele falava?

— Não sei dizer.

Gourel estava inquieto. Tudo aquilo parecia-lhe muito estranho.

— Você tem a chave?

— Não. O Sr. Kesselbach, ao chegar, mandou fazer chaves especiais.

— Vamos ver.

Gourel tocou de novo a campainha, furiosamente. Nada. Já se dispunha a afastar-se quando de repente abaixou-se e colou o ouvido no buraco da fechadura da porta.

— Escute... parecc... sim... está bem nítido... queixas... gemidos...

Deu um soco na porta.

— Mas senhor, não tem o direito...

— Não tenho direito?

Bateu fortemente diversas vezes, mas tão sem resultado que logo desistiu.

— Rápido, rápido, chame um serralheiro.

Um dos garçons do hotel afastou-se correndo. Gourel andava de um lado para outro, barulhento e indeciso. Os empregados de outros andares formavam pequenos grupos. Chegava gente da recepção e da direção. Gourel exclamou:

— Mas por que não podemos entrar pelos apartamentos vizinhos? Eles não se comunicam com este?

— Sim, mas as portas de comunicação são sempre trancadas de ambos os lados.

— Então telefonarei à Sûreté — disse Gourel, para quem apenas seu chefe poderia tirá-lo daquela enrascada.

— Está certo, se preferem assim — respondeu ele com o tom de voz de uma pessoa para quem aquela formalidade bem pouco interessasse.

Quando regressou do telefone, o chaveiro acabava de experimentar suas chaves. A última abriu a fechadura. Gourel entrou rapidamente.

Correu logo para o lugar de onde provinham os gemidos e encontrou os dois homens: o secretário Chapman e do empregado Edwards. Um deles, Chapman, conseguira afrouxar um pouco a sua mordaça e fazia pequenos ruídos abafados. O outro parecia dormir.

Libertaram ambos. Gourel inquietava-se:

— E o Sr. Kesselbach?

Passou para o salão. O Sr. Kesselbach estava amarrado ao encosto de uma cadeira perto da mesa. Tinha a cabeça inclinada sobre o peito.

— Está desmaiado — disse Gourel aproximando-se dele. — O esforço deve ter sido demasiado e perdeu a consciência.

Cortou rapidamente as cordas que amarravam seu tronco. Como um fardo, ele caiu para a frente. Gourel segurou-o e recuou, soltando um grito de susto:

— Mas ele está morto! Apalpem... as mãos estão geladas, e olhem só seus olhos.

Alguém disse:

— Uma congestão, sem dúvida... ou uma ruptura de aneurisma.

— Realmente não há marcas de ferimentos... é um caso de morte natural.

Estenderam o cadáver no sofá e abriram suas roupas. Mas de repente, na camisa branca, apareceram manchas vermelhas e, logo que ela foi aberta, notaram que bem por cima do coração o peito estava marcado por um pequeno ferimento, de onde o sangue fluía num pequeno filete.

E sobre a camisa, preso por um alfinete, estava um cartão de visitas.

Gourel debruçou-se. Era um cartão de Arsène Lupin, também manchado de sangue. Gourel levantou-se e em tom autoritário disse:

— Um crime!... Arsène Lupin!... Saiam... saiam todos... Que não fique ninguém neste salão nem no quarto. Levem esses senhores para outro lugar!... Saiam todos... E não toquem em nada... O chefe não demora a chegar!

* * *

Arsène Lupin!

Gourel repetia estas duas palavras fatídicas, absolutamente petrificado. Elas ecoavam em seu espírito como um sino em dia de finados. Arsène Lupin! O rei dos ladrões! O aventureiro supremo! Mas seria mesmo possível? — Não, não — murmurava ele — não é possível, pois ele está morto! Bem, vamos ver... estaria ele realmente morto?

Arsène Lupin! De pé, junto ao cadáver, permanecia atônito, atordoado, virando e revirando o cartão entre as mãos, com um certo receio, como se acabasse de ver um fantasma. Arsène Lupin!

O que deveria fazer? Agir? Enfrentar a batalha com seus próprios recursos?... Não, não... era melhor não agir... Os erros seriam inevitáveis se aceitasse o desafio de um adversário de tal porte. E além disso, o chefe não iria chegar? O chefe não demora a chegar! Toda a psicologia de Gourel se resumia nessa pequena frase. Hábil e perseverante, cheio de experiência e coragem, com uma força hercúlea, ele era desses que só tomam iniciativas quando são dirigidos e só cumprem bem os seus deveres quando comandados.

Quanto se agravara essa falta de iniciativa desde que o Sr. Lenormand assumira o lugar do senhor Dudouis na chefia da Sûreté! O Sr. Lenormand era realmente um chefe! Com ele sempre se estava seguro de estar no bom caminho. Tão seguro que Gourel logo parava se o impulso dado pelo novo chefe não se fazia mais presente.

Mas o chefe não demoraria a chegar! Em seu relógio, Gourel calculou a hora exata da chegada. Tomara que o delegado de polícia não chegue antes e que o juiz de instrução, com toda certeza já designado, ou o médico legista. Não venham fazer inoportunas constatações antes de o chefe ter tido tempo de fixar em seu espírito os pontos essenciais do caso!

— E então, Gourel, com que está sonhando?

— Chefe!

Lenormand era um homem ainda jovem, se se levasse em conta a expressão do seu rosto, os olhos que brilhavam através das lentes dos óculos. Mas era quase um velho se se notasse o corpo curvado, a pele seca e amarelada como uma vela de cera, a barba e os cabelos grisalhos, toda sua aparência abatida, hesitante, doentia.

Passara penosamente sua vida nas colônias como agente do governo, nos postos mais perigosos. Com isso, contraíra febres. Possuía uma energia indomável, apesar da fragilidade física, o hábito de viver só, falar pouco e agir em silêncio, uma certa misantropia e, subitamente, ao chegar aos 55 anos, depois do famoso caso dos três espanhóis de Biskra, ganhou a grande, a justa notoriedade. Reparava-se então a injustiça e logo a seguir ele era nomeado para Bordeaux, depois para subchefe em Paris, e, finalmente, com a morte do Sr. Dudouis, para chefe da Sûreté. E em cada um desses lugares mostrara uma inventiva tão curiosa em seus processos, tantos expedientes, qualidades tão novas, tão originais, sobretudo quando alcançava resultados tão precisos, na condução dos quatro ou cinco últimos escândalos que apaixonaram a opinião pública, que fizeram com que se colocasse seu nome ao lado dos mais ilustres policiais. Gourel não tinha dúvida. Favorito do chefe, que o apreciava por sua candura e passiva obediência, punha o Sr. Lenormand acima de tudo e de todos. Era o ídolo, o deus que nunca se engana.

Sr. Lenormand parecia particularmente cansado nesse dia. Sentou-se fatigado, desabotoou o sobretudo famoso por seu feitio fora de moda e por sua cor oliva, desatou do pescoço o lenço marrom igualmente famoso e sussurrou:

— Fale.

Gourel contou tudo que vira e tudo que pudera apurar, e fez um relatório resumido e objetivo como seu chefe habituara todos a fazer. Mas quando apresentou o cartão de visitas de Lupin, o Sr. Lenormand sobressaltou-se.

— Lupin! — gemeu.

— Sim, Lupin voltando à tona, esse animal.

— Tanto melhor, tanto melhor — disse Lenormand depois de refletir um instante.

— Evidentemente, tanto melhor, — repetiu Gourel que gostava de comentar as raras palavras de um superior que era tido e havido como tão pouco falante — tanto melhor porque o senhor finalmente irá enfrentar um adversário digno de si... E Lupin encontrará pela frente um mestre... Lupin não existiria... Lupin...

— Dê uma busca — ordenou o Sr. Lenormand cortando a palavra a seu subordinado.

Parecia a ordem de um caçador a seu cão de caça. E foi exatamente como se fora um cão de caça, vivo, inteligente, furão, que Gourel iniciou à busca sob o olhar de seu chefe. Com a ponta da bengala o Sr. Lenormand mostrava um determinado canto, uma cadeira, como se apontava uma moita de vegetação, com uma consciência minuciosa.

— Nada — concluiu o investigador.

— Nada para você — resmungou o Sr. Lenormand.

— Era o que eu queria dizer... Sei que para o senhor há certas coisas que falam como se fossem pessoas, verdadeiras testemunhas. O que não impede que tenhamos um crime bem arquitetado ao gosto do Sr. Lupin.

— O primeiro — observou o Sr. Lenormand.

— Com efeito, o primeiro... Mas era inevitável. Não se leva uma vida assim, sem que um dia, forçado pelas circunstâncias, não se seja obrigado a cometer um crime de morte. O Sr. Kesselbach deve ter tentado reagir...

— Não, uma vez que ele estava fortemente amarrado.

— De fato, — confessou Gourel desconcertado — o que é muito curioso... Por que matar um adversário que não pode reagir?... Mas não importa, se eu o tivesse apanhado ontem, quando nos encontramos frente a frente na entrada da antessala...

Lenormand passara para o balcão. Depois visitou o quarto do Sr. Kesselbach, à direita, e verificou as trancas das janelas e das portas.

— As janelas destes dois cômodos estavam fechadas quando entrei aqui — afirmou Gourel.

— Trancadas ou apenas encostadas?

— Ninguém tocou nelas. Ora, se elas agora estão fechadas, chefe...

Um ruído de vozes trouxe-os de volta ao salão. Aí encontraram o médico legista que começava a fazer o exame no cadáver e o Sr. Formerie, juiz de instrução.

Formerie exclamou:

— Arsène Lupin! Finalmente, estou feliz com o bem-vindo acaso que me colocou frente a frente com esse bandido! O fanfarrão verá que sou feito de outra madeira!... E desta feita, trata-se de um assassino!... Agora somos nós dois, mestre Lupin!

Formerie não esquecera a estranha aventura da princesa de Lamballe e a maneira admirável como Lupin o enganara, alguns anos antes. O caso ficara célebre nos anais da justiça. Ainda provocava risos e o juiz guardava, com toda razão, não só uma raiva surda como também o desejo de uma desforra brilhante.

— O assassinato está óbvio — afirmou ele com seu ar mais convincente —, e o motivo, será fácil de descobrirmos. Vamos, tudo vai bem... Sr. Lenormand, eu o saúdo...

Formerie não estava de forma alguma satisfeito. A presença do Sr. Lenormand agradava-lhe muito pouco, uma vez que o chefe da Sûreté nunca escondera o desprezo que nutria por ele. Entretanto levantou-se e sempre em tom solene disse:

— Então, doutor, julga que a morte tenha ocorrido há umas doze horas, mais ou menos, talvez um pouco mais?... É o que me parece... estamos portanto de acordo... E o instrumento do crime?

O legista respondeu:

— Uma faca ou punhal de lâmina muito fina, senhor juiz de instrução. Limparam a lâmina no próprio lenço do falecido...

— De fato, de fato. A marca está bem visível... E agora vamos interrogar o secretário e o empregado de Kesselbach. Não tenho a menor dúvida de que o interrogatório dos dois trará alguma luz ao caso...

Chapman, que havia sido levado para seu próprio quarto, à esquerda da sala, assim como Edwards, já estava refeito de sua aventura, e expôs detalhadamente os acontecimentos da véspera, a inquietação do Sr. Kesselbach, a visita anunciada do pretenso coronel, e finalmente contou a agressão de que foram vítimas.

— Ah! ah! — exclamou o Sr. Formerie — tem um cúmplice! E o senhor ouviu bem o seu nome... Marco, não é?... Isso é muito importante. Assim que nós apanharmos esse cúmplice, a tarefa será facilitada...

— Sim, mas nós não o agarramos — arriscou o Sr. Lenormand.

— Vamos ver... uma coisa de cada vez... E então, Sr. Chapman, esse Marco saiu logo após a vinda do Sr. Gourel?

— Sim, nós o ouvimos sair.

— E depois dessa partida, não ouviram mais nada?

— Ouvimos ruídos... de vez em quando, vagamente... A porta estava fechada.

— Que espécie de ruídos?

— Sons de vozes. O indivíduo...

— Chame pelo seu nome, Arsène Lupin.

— Arsène Lupin deve ter telefonado.

— Perfeito! Interrogaremos o pessoal do hotel encarregado do serviço de ligação externa. E mais tarde, ouviram também quando ele saiu?

— Ele confirmou que estávamos devidamente amarrados e amordaçados e, um quarto de hora mais tarde, saía, fechando atrás de si a porta da antessala.

— Claro, uma vez que seu crime estava terminado. Perfeito... Perfeito... Tudo se encadeia... E depois?

— Depois, não ouvimos mais nada... passou-se a noite... o cansaço me venceu... A Edwards também... e apenas esta manhã...

— Sim... eu sei... vamos lá, não está indo mal... tudo está ligado...

E, marcando as etapas de sua investigação, no tom com que teria marcado tantas vitórias sobre o desconhecido, murmurou pensativo:

— O cúmplice... o telefone... a hora do crime... os ruídos percebidos... Bom... muito bem... ainda temos que acertar o motivo do crime... Neste caso, por se tratar de Lupin, o motivo é claro. Sr. Lenormand, não percebeu o menor sinal de invasão?

— Nenhum.

— Então o furto terá sido realizado na pessoa da vítima. Encontramos sua carteira?

— Deixei no bolso da jaqueta, disse Gourel.

Todos foram para a sala de estar, onde o Sr. Formerie percebeu que a carteira continha apenas cartões de visita e documentos de identidade.

— Isso é estranho. Sr. Chapman, não poderia nos dizer se o Sr. Kesselbach tinha algum dinheiro com ele?

— Devia trazer; na véspera, quer dizer, anteontem, fomos ao Crédit Lyonnais onde o Sr. Kesselbach alugou um cofre...

— Um cofre no Crédit Lyonnais? Bem... precisamos examinar esse aspecto...

— Antes de sair, o Sr. Kesselbach abriu uma conta e retirou cinco ou seis mil francos em cédulas.

— Perfeito... estamos esclarecendo as coisas.

Chapman continuou:

— Existe um outro ponto, senhor juiz de instrução.

O Sr. Kesselbach, que há alguns dias se mostrava inquieto, bastante inquieto — eu já lhe disse a causa, um projeto ao qual dava a maior importância —, o Sr. Kesselbach parecia ter um interesse especial principalmente em duas coisas: primeiro, uma caixa de ébano, que ele depositou em segurança no Crédit Lyonnais; segundo, uma pequena bolsa de marroquim preto, onde ele guardava alguns papéis.

— E essa bolsa?

— Antes da chegada de Lupin ele a colocou, em minha presença, em sua maleta de viagem.

O Sr. Formerie apanhou a maleta, vasculhou-a. A bolsinha preta não se encontrava ali. Esfregou as mãos.

— Vamos, vamos, tudo se encadeia... Conhecemos o culpado, as condições e o motivo do crime. Este caso não se arrastará por muito tempo. Está de acordo comigo, Sr. Lenormand?

— Não. De forma alguma.

Houve um momento de espanto. O delegado de polícia, e atrás dele, apesar dos agentes, um grupo de jornalistas e pessoal do hotel. Tinham entrado a força e esperavam na antessala.

Apesar de ser conhecida a rudeza do homem, que chegava às raias da grosseria e que já lhe havia valido alguns sermões de autoridades superiores, a aspereza da resposta fora desconcertante. E especialmente o Sr. Formerie pareceu ter ficado chocado.

— No entanto — disse ele —, não vejo nada que seja mais claro: Lupin é o ladrão.

— Por que ele matou? — perguntou Lenormand.

— Para roubar.

— Desculpe, mas as declarações das testemunhas provam que o roubo foi efetuado antes do assassinato. Kesselbach foi amarrado e amordaçado, e depois roubado. Por que Lupin, que até agora nunca praticou um crime de morte, mataria um homem que não poderia reagir e que já fora roubado?

O juiz de instrução acariciou as longas suíças loiras com um gesto que lhe era habitual quando uma questão se apresentava insolúvel. Respondeu pensativamente:

— Há para isso diversas respostas...

— Quais?

— Isto depende... depende de uma série de elementos ainda desconhecidos... E além do mais, a objeção só é válida quanto aos motivos. No restante estamos de acordo.

— Não.

As palavras foram duras, cortantes, quase indelicadas, a ponto de o juiz, de repente desamparado, não ousar nem mesmo protestar, confuso diante desse estranho colaborador. Finalmente disse:

— Cada um tem seu método. Gostaria de conhecer o seu.

— Eu não tenho método.

O chefe da Sûreté levantou-se e deu alguns passos pelo salão, apoiado na bengala. A sua volta, guardavam silêncio... e era bastante curioso ver esse homem maduro, macilento e cansado, dominar os outros com a força de uma autoridade a que eles se curvavam, sem mesmo saber a razão.

Depois de um demorado silêncio, falou:

— Quero ver os cômodos vizinhos a este apartamento.

O gerente do hotel lhe mostrou uma planta do hotel. O quarto da direita, o do Sr. Kesselbach, só tinha como saída a antessala do apartamento. Mas o quarto da esquerda, do secretário, comunicava-se com um outro cômodo. Ele disse:

— Vamos visitá-la.

Formerie não conseguiu se conter e levantou os ombros, murmurando:

— Mas a porta de comunicação está aferrolhada e a janela trancada.

— Vamos visitá-la — insistiu Lenormand.

Foi conduzido a esse cômodo, que era o primeiro dos cinco reservado à Sra. Kesselbach. Depois, a seu pedido, visitou os quartos que vinham a seguir.

Todas as portas estavam fechadas dos dois lados. Perguntou:

— Nenhum dos cômodos foi ocupado?

— Nenhum.

— As chaves? — As chaves ficam sempre na recepção, no escritório.

— Então ninguém poderia entrar aqui?

— Ninguém, a não ser o rapaz encarregado da limpeza do andar.

— Chame-o.

O empregado, cujo nome era Gustave Beudot, esclareceu que na véspera, de acordo com as determinações, fechara as janelas dos cinco cômodos.

— A que horas? — Seis horas da tarde.

— Não notou nada de especial?

— Não, nada.

— E esta manhã?

— Esta manhã abri as janelas pelas oito horas.

— Não encontrou nada?

— Não... nada... Ah! Entretanto...

Ele hesitava. Pressionado com diversas perguntas, acabou por confessar:

— Pois bem, encontrei, perto da lareira do 420 uma cigarreira... que eu entregaria esta tarde no escritório.

— Tem ela está aí consigo?

— Não, está no meu quarto. É uma cigarreira de aço polido. De um lado tem lugar para o fumo e o papel para os cigarros; do outro, para os fósforos. Tem duas iniciais de ouro... um L e um M.

— Como é que o senhor diz?

Era Chapman que se adiantara. Parecia muito surpreso e interpelou o empregado:

— Em aço polido, segundo disse?

— Sim.

— Com três compartimentos para o fumo, o papel e os fósforos... fumo russo. É fino e claro?

— É.

— Vá buscar... Quero vê-la... eu mesmo...

A um sinal do chefe da Sûreté, Gustave Beudot, afastou-se. Lenormand sentara-se e com um olhar penetrante examinava o tapete, os móveis, os cortinados.

Perguntou:

— Estamos no 420, aqui?

— Estamos.

O juiz zombou:

— Gostaria de saber a relação que o senhor estabelecerá entre esse incidente e o drama. Cinco portas fechadas nos separam do cômodo onde Kesselbach foi assassinado!

Lenormand não se dignou a responder. Passou-se o tempo. Gustave não regressava.

— Onde ele mora, senhor gerente? — perguntou o chefe.

— No sexto andar, perto da rua de Judée, portanto acima de nós. É realmente estranho que até agora não tenha retornado.

— Poderia fazer o favor de mandar alguém buscá-lo?

O gerente foi pessoalmente, acompanhado por Chapman. Alguns minutos mais tarde voltava só, correndo, com a fisionomia transtornada.

— E então?

— Morto...

— Assassinado?

— Sim.

— Ah! Diabo, eles são fortes, os miseráveis! — proferiu Lenormand.

— Corra, Gourel, mande fechar todas as portas do hotel... Cuide das saídas... E o senhor, gerente, leve-nos até o quarto de Gustave Beudot.

O gerente saiu. Mas no momento de deixar a sala, o Sr. Lenormand abaixou-se e apanhou no chão uma pequena rodela de papel, sobre a qual seus olhos já haviam pousado.

Era uma etiqueta debruada de azul. Ela trazia o número 813. Maquinalmente guardou-a na carteira e acompanhou os demais.

* * *

— Um pequeno ferimento nas costas, entre as duas omoplatas...

O médico declarou:

— Exatamente o mesmo ferimento do Sr. Kesselbach.

— Sim — disse Lenormand — foi a mesma mão que atacou e a mesma arma usada.

Segundo a posição do cadáver, o homem fora surpreendido de joelhos, ao lado da cama, procurando debaixo do colchão a cigarreira que escondera. O braço ainda estava enfiado entre o colchão e o estrado da cama, mas a cigarreira não foi encontrada.

— Parece que esse objeto era seriamente comprometedor — insinuou o Sr. Formerie, que não se arriscava mais a emitir uma opinião definida.

— Evidentemente! — disse o chefe da Sûreté.

— Mas conhecemos as iniciais, um L e um M, e com elas, juntando-se ao que o Sr. Chapman parece saber, facilmente teremos boas informações.

Lenormand se sobressaltou:

— Chapman! Onde ele está?

Olharam no corredor para o grupo de pessoas que se acotovelava. Chapman não se encontrava ali.

— O Sr. Chapman acompanhou-me — disse o gerente. — Sim, sim, eu sei, mas ele não voltou com o senhor.

— Não, deixei-o ao lado do cadáver.

— Deixou-o?... Sozinho?

— Eu lhe disse:

— Fique aqui, não se afaste.

— Não havia ninguém? Não viu ninguém mais?

— No corredor não.

— Mas nos quartos vizinhos... ninguém se escondia lá?

Lenormand parecia agitado. Ia e vinha, abria as portas dos quartos. De repente saiu correndo com uma agilidade de que não parecia capaz. Desceu precipitadamente os seis andares, seguido de longe pelo gerente e pelo juiz de instrução. Embaixo, encontrou Gourel diante da porta principal.

— Ninguém saiu?

— Ninguém.

— Na outra porta, dando para a rua Orvieto?

— Coloquei Dieuzy de plantão.

— Com ordens formais?

— Sim, chefe.

No vasto hall do hotel uma multidão de viajantes e hóspedes inquietos se aglomerava, comentando as versões mais ou menos certas que lhes chegavam sobre o estranho crime. Todos os empregados chamados por telefone chegavam um a um. Sr. Lenormand imediatamente os interrogava.

Nenhum deles pôde dar a menor informação. Mas uma empregada do quinto andar se apresentou. Dez minutos antes, mais ou menos, ela cruzara com dois senhores que desciam a escada de serviço entre o quinto e o quarto andar.

— Desciam muito depressa. O primeiro segurava o outro pela mão. Fiquei espantada por ver os dois senhores na escada de serviço.

— Poderia reconhecê-los?

— O primeiro não. Ele virou a cabeça. Era magro, loiro. Tinha um chapéu preto, macio... e usava roupas pretas.

— E o outro?

— Ah! O outro era um inglês, gordo, bem barbeado, com uma roupa xadrez. Não usava chapéu.

A descrição era, evidentemente, a de Chapman. A mulher prosseguiu:

— Ele tinha um ar... um ar engraçado... como se estivesse louco.

A afirmação de Gourel não bastou ao Sr. Lenormand. Perguntou a todos os mensageiros que ficavam nas duas portas.

— Conhece o Sr. Chapman?

— Conhecemos, senhor, ele falava sempre conosco.

— Não o viram sair?

— Não. Esta manhã ele não saiu.

Lenormand voltou-se para o delegado de polícia:

— Quantos homens o senhor tem?

— Quatro.

— Não é bastante. Telefone a seu assistente e peça que lhe mande todos os homens disponíveis. E organize o senhor mesmo a mais rigorosa vigilância em todas as saídas. Um verdadeiro estado de sítio, senhor delegado...

— Mas finalmente — protestou o gerente — meus clientes...

— Pouco me interessam seus clientes, senhor. Meu dever está acima de tudo e meu dever é prender, custe o que custar...

— O senhor acredita?... — aventurou o juiz de instrução.

— Não acredito, senhor... tenho certeza de que o autor do duplo assassinato ainda se encontra no hotel.

— Mas então Chapman...

— Neste momento não posso responder se Chapman está vivo ou não. Em todo caso, é uma questão de minutos, de segundos... Gourel, leve dois homens e examine todos os quartos do quarto andar... Senhor gerente, um dos seus empregados os acompanhará. Quanto aos demais andares, veremos quando chegarem os reforços. Vamos, Gourel, trate da caçada e mantenha os olhos bem abertos... É uma caçada, das grandes.

Gourel e seus homens se apressaram. Lenormand ficou no saguão, perto dos escritórios do hotel. Desta vez não queria sentar-se, como estava habituado. Andava da entrada principal à entrada da rua Orvieto e retornava ao ponto de partida.

De quando em quando, ordenava:

— Senhor gerente, quero que vigiem as cozinhas, pois poderão fugir por lá...

— Senhor gerente, diga a sua telefonista que não permita nenhuma ligação do hotel para qualquer ponto da cidade. Se telefonarem de fora, ela que faça a ligação com a pessoa solicitada, mas somente após ter anotado o nome de quem fala...

— Senhor gerente, faça com que me preparem uma lista de todos os seus hóspedes cujo nome comece por um *L* ou por um *M*.

Dizia tudo isso em voz alta, como se fosse um comandante de exército dando ordens a seus subordinados.

E era verdadeiramente uma batalha implacável e terrível a que se desenrolava no elegante cenário de um palácio parisiense, entre o poderoso personagem que era o chefe da Sûreté e esse misterioso indivíduo perseguido, acuado, quase apanhado, mas tão formidável em astúcia e selvageria.

A angústia tomou conta dos espectadores agrupados no centro do saguão. Silenciosos e amedrontados ao menor ruído, estavam obcecados pela figura do assassino. Onde se escondia ele? Iria aparecer de um momento para outro? Não estaria ali, entre eles, naquele momento?... Seria talvez este?... ou aquele outro?

Os nervos estavam tão tensos que se estourasse uma revolta teriam forçado as portas e alcançado a rua, se o chefe não estivesse ali, com sua presença que trazia algo que acalmava, tranquilizava. Todos se sentiam em segurança, como a bordo de um navio dirigido por um bom capitão.

Todos os olhares se concentravam nesse velho homem de óculos, cabelos grisalhos, sobretudo oliva e echarpe marrom no pescoço, que caminhava curvado e as pernas bambas.

De vez em quando, enviado por Gourel, um dos empregados que acompanhavam a investigação aparecia.

— Alguma novidade? — perguntava Lenormand.

— Nada, senhor, não encontramos nada.

Por duas vezes o gerente do hotel quis quebrar a proibição. A situação tornava-se intolerável. Nos escritórios, vários hóspedes que precisavam partir protestavam.

— Não me interessa — repetia Lenormand.

— Mas eu os conheço.

— Melhor para o senhor.

— O senhor está indo além dos seus direitos.

— Eu sei.

— Será responsabilizado por isso.

— Tenho certeza.

— Até mesmo o senhor juiz de instrução...

— Que o Sr. Formerie me deixe em paz! O que ele tem de melhor a fazer é interrogar os empregados como está fazendo agora. Quanto ao resto, não é da sua conta. É da polícia. Isto me compete.

Naquele momento um esquadrão de agentes entrou no hotel. O chefe da Sûreté separou-os em diversos grupos que enviou ao terceiro andar. Depois dirigiu-se ao delegado:

— Meu caro delegado, eu o deixo encarregado da vigilância. Nada de fraquezas, é minha ordem. Tomo inteira responsabilidade pelo que possa acontecer.

E dirigindo-se ao elevador, fez com que o levassem ao segundo andar.

O trabalho não era fácil. Demorou porque era necessário abrir as portas dos sessenta quartos, inspecionar os banheiros, as alcovas, os armários, todos os cantos. Foi igualmente em vão. Uma hora mais tarde, ao meio-dia, Lenormand terminara com o segundo andar; os demais agentes ainda não haviam terminado os andares superiores e nenhuma descoberta fora feita.

Lenormand hesitou: o assassino teria subido para o sótão? No entanto decidiu descer quando o avisaram que a Sra. Kesselbach acabara de chegar com sua dama de companhia. Edwards, o velho servidor de confiança, aceitou a tarefa de transmitir a notícia da morte do Sr. Kesselbach.

Era uma mulher bem alta, morena, cujos olhos negros, de grande beleza, estavam enfeitados com pontos dourados, como se fossem pequenas lantejoulas de ouro, que brilhavam no escuro. Seu marido a conheceu na Holanda, onde Dolores nascera em uma velha família de origem espanhola: os Amonti. Logo apaixonou-se e há quatro anos viviam bem, com ternura e devoção.

Lenormand se apresentou. Ela olhou sem responder e ele ficou em silêncio, uma vez que ela, em seu estado de choque, não parecia entender o que ele dizia.

Depois, de repente, ela começou a chorar desesperadamente e pediu para ser levada para ver o marido.

No corredor, Lenormand encontrou Gourel que o procurava e que lhe entregou apressadamente um chapéu que trazia na mão.

— Chefe, encontrei isso... Não há engano quanto à procedência,

Era um chapéu mole, de feltro preto. Em seu interior, nenhuma etiqueta.

— Onde você o encontrou?

— No patamar da escada de serviço, no segundo andar.

— Nos outros andares, nada?

— Nada. Procuramos tudo. Nada, como também no primeiro. E esse chapéu prova que o homem esteve ali. Estamos chegando mais perto, chefe.

— Espero que sim.

Sr. Lenormand parou ao pé da escada:

— Procure o delegado e lhe dê esta ordem: dois homens vigiando as saídas das quatro escadas, de armas em punho. Atirem, se for preciso. Compreenda bem isso, Gourel, se Chapman não aparecer e se o indivíduo escapar, vou estourar. Há duas horas que estamos andando em círculos.

Subiu a escada. No primeiro andar encontrou dois agentes que saíam de um quarto, conduzidos por um funcionário.

O corredor estava deserto. O pessoal do hotel não ousava se aventurar por ali e alguns hóspedes tinham se trancado duplamente em seus quartos, sendo necessário bater diversas vezes e identificar-se para que a porta fosse por fim aberta.

Um pouco adiante, o Sr. Lenormand percebeu outro grupo de agentes que visitavam a despensa, e na extremidade do grande corredor viu outros que se aproximavam da curva, ou seja, dos quartos que davam para a rua de Judée.

De repente ouviram gritos e gente fugindo. Apressou-se.

Os agentes estavam parados no meio do corredor. A seus pés, impedindo a passagem, estendido no tapete, um corpo.

Lenormand debruçou-se e tomou entre as mãos a cabeça inerte.

— Chapman — murmurou ele — está morto.

Examinou-o. Um lenço de seda branca apertava-lhe o pescoço. Desatou-o. Manchas vermelhas apareceram e ele constatou que o lenço apertava, contra a nunca, um tampão de algodão sangrento. Outra vez a mesma ferida pequena, limpa, impiedosa.

Imediatamente avisados, o Sr. Formerie e o delegado apareceram.

— Ninguém saiu? — perguntou o chefe. — Nenhum alerta?

— Nada — disse o delegado.

— Tenho dois homens ao pé de cada escada.

— Quem sabe se ele subiu? — disse o Sr. Formerie.

— Não!... não!...

— Então ele deveria ser encontrado.

— Não... Tudo aconteceu há um bom tempo. Suas mãos já estão frias... O assassinato deve ter ocorrido pouco depois do outro... no momento em que os dois homens chegaram aqui, pela escada de serviço.

— Mas teríamos visto o cadáver! Veja bem que durante duas horas... umas cinquenta pessoas passaram por aqui...

— O cadáver não estava aqui.

— Onde estava ele?

— E eu sei? — respondeu bruscamente o chefe da Sûreté. — Faça como eu, procure!... Não é com palavras que se acha.

Com a mão, nervosamente, martelava o cabo da bengala e fixava os olhos no cadáver, silencioso e pensativo. Finalmente disse:

— Senhor delegado, faça-me o favor de mandar levar a vítima para um quarto vazio. Chamaremos o médico. Senhor gerente, queira abrir todas as portas deste corredor.

Havia à esquerda três quartos e duas salas formando um apartamento desocupado, que foi visitado pelo Sr. Lenormand. À direita, quatro quartos. Dois ocupados por Sr. Reverdat e um italiano, o barão Giacomici, ambos ausentes naquele instante. No terceiro quarto encontraram uma velha dama inglesa, ainda deitada, e no quarto um inglês que lia e fumava tranquilamente e a quem os ruídos do corredor não perturbaram sua leitura. Chamava-se major Parbury.

Buscas e interrogatórios não produziram nenhum resultado. A velha senhora nada ouvira antes de ser procurada pelos agentes, nem ruído de luta, nem grito de agonia, nem discussão; o major Parbury também não.

Além disso não encontraram nenhuma pista ambígua, nenhum traço de sangue, nada que levasse a supor que o infeliz Chapman estivera em um desses cômodos.

— Estranho — murmurou o juiz de instrução. — Tudo isso é realmente estranho...

E acrescentou ingenuamente:

— Compreendo cada vez menos. Há uma série de circunstâncias que em parte não entendo. O que pensa, Sr. Lenormand? Lenormand ia dar-lhe uma daquelas respostas mal-humoradas, quando Gourel chegou afobadamente:

— Chefe... encontraram isto... embaixo... no escritório do hotel... em cima de uma cadeira...

Era um embrulho de pequeno, amarrado em um envelope de sarja preta.

— Foi aberto? — perguntou o chefe.

— Foi, mas quando viram o que continha, fecharam novamente, exatamente como estava... fortemente amarrado, como pode ver.

— Abra-o!

Gourel abriu e encontrou uma calça e um paletó de flanela preta, que, da maneira que estavam, deviam ter sido embrulhados apressadamente.

No meio do pacote encontrou uma toalha manchada de sangue, que haviam tentado lavar, sem dúvida para apagar as marcas das mãos que nela foram limpas.

Dentro da toalha, uma adaga de aço com o cabo incrustado de ouro. Estava vermelho de sangue, do sangue de três homens assassinados em poucas horas, por mão invisível, de alguém entre aquela multidão de trezentas pessoas que iam e vinham no enorme hotel. Edwards, o empregado, reconheceu a adaga como pertencente ao Sr. Kesselbach. Ainda na véspera, antes da agressão de Lupin, Edwards o vira sobre a escrivaninha.

— Senhor gerente, — disse o chefe da Sûreté — Gourel vai dar ordem para abrirem as portas.

— Acredita que Lupin tenha conseguido sair? — interrogou o Sr. Formerie.

— Não. O autor do triplo assassinato que acabamos de observar está no hotel, num dos quartos, ou talvez misturado aos hóspedes que se acham no saguão. Para mim, ele mora no hotel.

— Impossível! E além disso onde terá ele trocado de roupa? E que roupas estará vestindo agora?

— Ignoro, mas mantenho minha afirmativa.

— E vai deixá-lo sair? Mas ele irá embora, tranquilamente, com as mãos nos bolsos.

— O hóspede que sair assim, sem as suas bagagens, e não regressar será o culpado. Senhor gerente, queira acompanhar-me ao escritório. Quero estudar mais atentamente a lista de hóspedes.

No escritório, Lenormand encontrou algumas cartas dirigidas ao Sr. Kesselbach. Entregou-as ao juiz de instrução.

Havia ainda um pacote que acabara de chegar, trazido por entrega especial dos correios de Paris. Como o papel que o embrulhava estava em parte rasgado, Lenormand pôde ver uma caixa de ébano, sobre a qual estava gravado o nome de Rudolf Kesselbach.

Ele abriu. Além dos cacos de um espelho cujo lugar onde estivera podia ser visto no interior da tampa da caixa, continha um cartão de Arsène Lupin.

Mas um detalhe pareceu chamar a atenção do chefe da Sûreté. Do lado de fora, sob a caixa, havia uma etiqueta com a borda azul, semelhante à encontrada no quarto andar onde havia sido encontrada a cigarreira, e essa etiqueta trazia, igualmente, o número 813.

Capítulo 3

SR. LENORMAND EM CENA

Auguste, faça entrar o Sr. Lenormand.

O porteiro saiu e alguns segundos mais tarde introduzia o chefe da Sûreté.

No grande gabinete do ministério, na praça Beauvau, estavam três pessoas: o famoso Valenglay, líder do partido radical há trinta anos, atualmente presidente do Conselho e ministro do Interior, o senhor Testard, procurador-geral, e o chefe de polícia, Delaume.

O chefe de polícia e o procurador-geral não se levantaram de onde estavam sentados durante a longa conversa com o presidente do Conselho, mas este se levantou e, apertando a mão do chefe da Sûreté, disse-lhe cordialmente:

— Não tenho dúvida, meu caro Lenormand, de que você não saiba a razão pela qual pedi o seu comparecimento.

— O caso Kesselbach?

— Exato.

O caso Kesselbach! Certamente todos se lembram não apenas desse famoso caso Kesselbach do qual procurei desvendar as complexas meadas, mas também das mínimas peripécias do drama que nos apaixonou a todos, dois anos antes da Grande Guerra. Também ninguém esquecerá a extraordinária emoção que abalou não somente a França mas também o exterior. Entretanto, mais importante do que esse triplo assassinato, cometido em circunstâncias misteriosas, mais ainda do que a atrocidade dessa verdadeira carnificina, mais importante do que tudo, enfim, um fato apaixonou o público: o reaparecimento, pode-se dizer, a ressurreição de Arsène Lupin.

Arsène Lupin! Há quatro anos, depois de sua espantosa aventura de *A Agulha Oca*, ninguém mais ouvira falar nele desde o dia em que, mesmo sob a vigilância de Herlock Sholmes, ele desapareceu nas sombras, levando consigo o cadáver daquela que amava, seguido de sua velha governanta, Victoire.

Desde aquele dia passaram a considerá-lo morto. Era a versão da polícia que, não tendo encontrado nenhuma pista de seu adversário, passou a divulgar, pura e simplesmente, que ele morrera.

Outros, no entanto, supondo-o a salvo, julgavam que ele estaria levando uma vida tranquila e burguesa, cultivando seu jardim, ao lado de sua esposa e filhos. Ainda havia terceiros que acreditavam que sob o peso da desgraça e cansado das vaidades deste mundo, ele se retirara para um convento de trapistas.

E agora ele surge novamente! Agora ele retoma sua luta impiedosa contra a sociedade! Arsène Lupin tornou-se Arsène Lupin novamente, o fantasioso, o intangível, o desconcertante, o ousado, o brilhante Arsène Lupin.

Mas desta vez houve um grito de horror. Arsène Lupin havia matado! E a selvageria, a crueldade, o cinismo implacável do crime eram tais que, de repente, a lenda do herói simpático, do aventureiro cavalheiresco e, se necessário, sentimental, deu lugar a uma nova visão de um desumano, sanguinário e feroz monstro. A multidão odiava e temia seu antigo ídolo, ainda mais violentamente porque uma vez o admirou por sua graça leve e bom humor.

E a indignação desse público amedrontado voltou-se contra a polícia. Outrora haviam rido. Perdoavam o delegado, pela forma engraçada como fora enganado. Mas a brincadeira durara muito e, agora, num clima de revolta e furor, exigiam da autoridade uma prestação de contas a respeito dos crimes inqualificáveis que ela se mostrava impotente para evitar.

Foi assim nos jornais, nas reuniões públicas, na rua, até mesmo na tribuna da Câmara, uma tal explosão de cólera que o governo procurou, por todos os meios, amenizar a euforia do público.

Valenglay, o presidente do Conselho, tinha uma preferência especial por casos policiais e já se divertira bastante acompanhando de perto alguns deles, com o chefe da Sûreté, a quem elogiava por suas qualidades e caráter independente. Convocou a seu gabinete o chefe de polícia, o procurador-geral, com os quais trocou ideias, e depois, Lenormand.

— Sim, meu caro Lenormand, trata-se do caso Kesselbach. Mas antes de falar, chamo sua atenção para um ponto particular, um ponto que perturba o chefe de polícia. Sr. Delaume, o que explicar ao Sr. Lenormand?

— Oh! O Sr. Lenormand sabe perfeitamente como se portar a esse respeito — replicou o chefe de polícia, num tom que indicava bem pouca boa vontade para com seu subordinado.

— Nós já falamos a esse respeito: eu lhe disse minha maneira de pensar quanto a sua conduta imprópria no Palace Hotel. De um modo geral, todos estão indignados.

Lenormand levantou-se, tirou do bolso um papel e o colocou sobre a mesa.

— O que é isso? — perguntou Valenglay.

— Minha demissão, senhor presidente.

Valenglay saltou:

— O quê? Sua demissão? Apenas por causa de uma observação benévola que o chefe de polícia lhe faz e à qual, aliás, ele não dá maior importância... Não é, Delaume, nenhuma importância? E só por isso o senhor se ofende!... Deve admitir, meu caro Lenormand, que tem um gênio difícil. Vamos, guarde esse pedaço de papel e vamos falar seriamente.

O chefe da Sûreté voltou a sentar-se e Valenglay, impondo silêncio ao chefe de polícia, que não escondia seu desagrado, falou:

— Em poucas palavras, Lenormand, eis a questão: o retorno de Lupin aborrece a todos nós. Durante muito tempo esse animal divertiu-se à nossa custa. Era engraçado, confesso, e eu mesmo ri em certas ocasiões. Agora, porém, lidamos com assassinatos. Podíamos aceitar Arsène Lupin enquanto ele divertia a plateia; matando, não.

— E então, senhor presidente, o que é que me pede?

— O que pedimos? Oh! É muito simples. Em primeiro lugar a sua prisão... depois, a sua cabeça.

— Sua prisão posso prometer, mais cedo ou mais tarde. Quanto a sua cabeça, não.

— Como! Se o prenderem, no julgamento terá uma condenação inevitável... e o cadafalso.

— Não.

— E por que não?

— Porque Lupin não matou.

— Hein? Mas você está louco, Lenormand! E os cadáveres do Palace Hotel? Ou talvez eles sejam apenas uma miragem! Não houve um triplo assassinato?

— Houve, mas não foi Lupin quem o cometeu.

O chefe articulou tais palavras cuidadosamente, com uma calma e convicção impressionantes.

O procurador e o chefe de polícia protestaram. Mas Valenglay prosseguiu:

— Acredito, Lenormand, que você não adianta tais hipóteses sem ter motivos sérios.

— Não são hipóteses.

— A prova?

— São duas, em princípio, duas provas de natureza moral que expus no momento ao senhor juiz de instrução e que os jornais destacaram. Para começar, Lupin não mata. Além disso, por que mataria ele, uma vez que o objetivo de sua expedição, ou seja, o roubo, já fora alcançado e nada mais tinha a temer de um adversário amarrado e amordaçado?

— É. E os fatos?

— Os fatos nada valem contra a razão e a lógica e além disso até os fatos me ajudam. O que significaria a presença de Lupin no quarto onde foi encontrada a cigarreira? Por outro lado, as roupas pretas encontradas e que eram evidentemente do assassino não são, de forma alguma, do tamanho das roupas usadas por Lupin.

— Você então o conhece?

— Eu não. Mas Edwards o viu, Gourel o viu, e o que viram não é o mesmo visto pela empregada descendo a escada de serviço, arrastando Chapman pela mão.

— É o seu método?

— O senhor quer dizer a "verdade", senhor presidente. Ei-la, ou pelo menos o que sei da verdade. Terça-feira, 16 de abril, um indivíduo... Lupin... entrou no quarto do Sr. Kesselbach, mais ou menos às duas horas da tarde...

Uma gargalhada interrompeu o Sr. Lenormand. Era o chefe de polícia.

— Deixe-me lhe dizer, Sr. Lenormand, que determina as coisas com uma pressa um tanto excessiva. Está provado que às três horas desse mesmo dia o Sr. Kesselbach entrou no Crédit Lyonnais e que desceu à sala dos cofres. Sua assinatura nos registros serve como prova disso.

Lenormand esperou pacientemente que seu superior terminasse de falar. Depois, sem se dar ao trabalho de responder diretamente ao ataque, continuou:

— Por volta das duas horas da tarde, Lupin, ajudado por um cúmplice chamado Marco, amarrou o Sr. Kesselbach, tirou-lhe todo o dinheiro que tinha consigo e obrigou-o a revelar o segredo do seu cofre no Crédit Lyonnais. Logo que soube esse segredo, Marco foi embora. Encontrou um segundo cúmplice que, aproveitando-se de uma certa semelhança com o Sr. Kesselbach e usando óculos, entrou no Crédit Lyonnais, imitou a assinatura do Sr. Kesselbach, esvaziou o cofre e saiu acompanhado por Marco. Este então telefonou a Lupin. Foi dessa forma que Lupin soube que o Sr. Kesselbach não o enganara e, tendo alcançado o que queria, partiu.

Valenglay pareceu hesitante.

— Sim... está bem... admitamos. Mas o que me espanta é que um homem como Lupin tenha se arriscado tanto por tão pouco... algumas cédulas de dinheiro e o conteúdo, sempre hipotético, de um cofre-forte.

— Lupin cobiçava mais. Queria ou a sacola de marroquim que se encontrava na mala de viagem ou a caixa de ébano que estava no cofre. Esta caixa ele a conseguiu, pois devolveu-a vazia. Portanto, hoje ele conhece, ou está a caminho de conhecer, o famoso projeto pretendido pelo Sr. Kesselbach, que comentara com seu secretário pouco antes de sua morte.

— Qual é esse projeto?

— Não sei. O diretor da agência, Barbareux, que fora procurado por ele, disse-me que o Sr. Kesselbach buscava um indivíduo, desclassificado ao que parece, chamado Pierre Leduc. Qual o motivo dessa procura? E quais a relações da mesma com o projeto? Por enquanto não sei dizer.

— Seja — concluiu Valenglay. — Está bem no que tange a Arsène Lupin. Seu trabalho terminou. O Sr. Kesselbach está amarrado, roubado... mas vivo!... Que se passa então até o momento em que ele é encontrado morto?

— Nada durante horas; nada até a noite. Mas durante a noite alguém entrou.

— Por onde?

— Pelo apartamento 420, um dos reservados pelo Sr. Kesselbach. O indivíduo evidentemente possuía uma chave falsa.

— Mas — exclamou o chefe de polícia — entre esse apartamento e o outro as portas estavam fechadas, e havia cinco portas!

— Restava o balcão.

— O balcão!

— Sim, é o mesmo para todo o andar que dá para a rua de Judée.

— E as divisões?

— Um homem ágil pode transpô-las. O nosso as transpôs. Encontrei traços disso.

— Mas todas as janelas do apartamento estavam fechadas e constatamos, depois do crime, que continuavam fechadas.

— Menos uma, a do secretário Chapman, que, ao que pude constatar pessoalmente, estava apenas encostada.

Desta feita o presidente do Conselho pareceu um pouco abalado, de tal forma a versão apresentada pelo Sr. Lenormand parecia lógica, estabelecida em fatos sólidos.

Perguntou com crescente interesse:

— Mas com que propósito esse homem foi lá?

— Não sei.

— Ah! Você não sabe...

— Não, como também não sei o seu nome.

— Mas por que razão ele matou?

— Não sei. Todavia, temos o direito de supor que ele não tenha ido com o objetivo de matar, mas também com a intenção de se apossar dos documentos que estavam na sacola de marroquim e na caixa de ébano e que, colocado frente a frente, casualmente, com um inimigo tornado impotente, matou-o.

Valenglay murmurou:

— Pensando bem... sim, é possível... E, segundo você, ele encontrou os documentos?

— Não encontrou a caixa pois ela não estava lá, mas encontrou, dentro da mala de viagem, a sacola de marroquim preto. Assim sendo... Lupin e... o outro estão em igualdade de condições: ambos sabem as mesmas coisas sobre o projeto de Kesselbach.

— Quer dizer que eles vão combater entre si. — comentou o presidente.

— Justamente. E a luta já começou. O assassino encontrou um cartão de Arsène Lupin e o colocou no cadáver. Dessa forma todas as aparências seriam contra Arsène Lupin... Portanto, Arsène Lupin seria o criminoso.

— Com efeito... com efeito... O raciocínio não deixa de ser justo. — declarou Valenglay.

— E o estratagema teria tido sucesso — continuou Lenormand — se, por um acaso desfavorável ao assassino, seja em sua ida ou saída, não houvesse perdido no quarto 420 a cigarreira, e se o garçom Gustave Beudot não a tivesse encontrado. Daí em diante, sabendo-se descoberto ou na iminência de o ser...

— Como ele sabia?

— Como? Mas pelo próprio juiz de instrução Formerie. O inquérito foi feito com todas as portas abertas! Certamente o assassino se encontrava entre os assistentes, empregados do hotel ou jornalistas, quando o juiz de instrução mandou Gustave Beudot ao sótão buscar a cigarreira. Beudot subiu. O indivíduo subiu também e atacou-o. Segunda vítima.

Ninguém mais protestava. O drama se reconstituía, surpreendente de realidade e de uma exatidão mais do que verossímil.

— E o terceiro? — perguntou Valenglay.

— Este ofereceu-se ao assassino. Vendo que Beudot não retornava, Chapman, curioso para examinar ele mesmo esta cigarreira, partiu com o gerente do hotel. Surpreendido pelo assassino, foi arrastado por esse, conduzido a um dos quartos, e por sua vez também assassinado.

— Mas por que deixou-se levar dessa forma por um homem que sabia ser o assassino do Sr. Kesselbach e de Gustave Beudot?

— Não sei, como também não conheço o quarto onde o crime foi cometido, ou tampouco a maneira verdadeiramente milagrosa como o culpado conseguiu escapar.

— Falaram — disse o Sr. Valenglay — de duas etiquetas azuis?

— Sim, uma encontrada na caixa devolvida por Lupin, e outra encontrada por mim, procedente, sem dúvida, da sacola de marroquim que o assassino roubou.

— E então?

— Então, para mim, elas não significam nada. O que significa alguma coisa é o número 813 que o Sr. Kesselbach escreveu em ambas: sua letra foi devidamente reconhecida.

— E esse número 813?

— Mistério.

— E então?

— Então, devo responder uma vez mais que não sei nada.

— Não tem nenhuma suspeita?

— Nenhuma. Dois dos meus homens estão morando em um dos quartos do Palace Hotel, no andar onde foi encontrado o cadáver de Chapman. Por seu intermédio, estou vigiando todos do hotel. O culpado não está entre aqueles que já partiram.

— Não telefonaram durante o massacre?

— Telefonaram. Alguém telefonou ao major Parbury, uma das quatro pessoas que moram no primeiro andar.

— E esse major?

— Mantenho-o sob a vigilância de meus homens; até agora nada encontramos contra ele.

— E em que direção, em que sentido, espera continuar suas buscas?

— Num sentido bem definido. Para mim o assassino está entre os amigos ou os conhecidos do casal Kesselbach. Ele seguia os dois, conhecia seus hábitos, a razão pela qual o Sr. Kesselbach se encontrava em Paris, e suspeitava mais ou menos da importância do seu projeto.

— Não será então um criminoso profissional?

— Não! Não! Mil vezes não! O crime foi executado com uma habilidade e audácia surpreendentes, mas tudo foi levado pela força das circunstâncias. Repito, é entre as relações do Sr. e Sra. Kesselbach que devemos procurar. E a prova é que o assassino só matou Gustave Beudot porque o empregado do hotel possuía a cigarreira, e Chapman porque o secretário sabia da sua existência. Recordem a emoção de Chapman: apenas com a descrição da cigarreira, Chapman teve a intuição do drama. Se ele visse a cigarreira, nós saberíamos. O desconhecido não se enganou: eliminou Chapman. E nós não sabemos nada além das iniciais *L* e *M*.

Refletiu um instante e disse:

— Mais uma prova que é uma resposta a uma de suas perguntas, senhor presidente. Acredita que Chapman tenha seguido esse homem pelos corredores do hotel se não o conhecesse?

Os fatos se acumulavam. A verdade, ou pelo menos a provável verdade, tornava-se cada vez mais forte. Muitos pontos, talvez os mais interessantes, ainda estavam obscuros. Mas que abertura já fora alcançada! Sem contar os motivos que os inspiraram, como já se percebiam claramente a série de atos cometidos nessa tarde trágica!

Houve um momento de silêncio. Cada um pensava, procurava argumentos, objeções. Finalmente Valenglay disse:

— Meu caro Lenormand, tudo isso está perfeito... Você me convenceu... Mas, no fundo, não avançamos nada.

— Como assim?

— Exatamente. O propósito de nossa reunião não era decifrar uma parte do enigma, que mais dia menos dia, estou certo, você decifrará totalmente, mas dar uma satisfação, a maior possível, às exigências do público. Ora, seja Lupin o criminoso ou não, que existam dois culpados, ou até três, ou um só, isso não nos dá nem o nome do culpado nem uma prisão. E o público continuará com essa impressão desastrosa de que a justiça é impotente.

— Que posso fazer?

— Dar ao público a satisfação que ele pede.

— Mas me parece que por enquanto tais explicações bastarão...

— Palavras! Eles querem ação. Uma única coisa os contentará: uma prisão.

— Diabo! Diabo! Não podemos prender o primeiro que apareça!

— Seria melhor do que não prender ninguém — disse Valenglay rindo.

— Vejamos, procure bem... Está absolutamente seguro quanto a Edwards, o empregado de Kesselbach?

— Completamente seguro... E além disso, não, senhor presidente, será perigoso, ridículo... e estou persuadido de que o próprio procurador-geral... Só há duas pessoas sobre quem temos o direito de prisão... o assassino... eu não o conheço... e Arsène Lupin.

— E então? — Não se prende Arsène Lupin... ou pelo menos é preciso tempo, um conjunto de medidas... que ainda não tive ocasião de tomar, já que eu acreditava Lupin fora do jogo... ou morto.

Valenglay bateu o pé com impaciência, como homem que gosta que seus desejos sejam atendidos imediatamente.

— Entretanto... entretanto... meu caro Lenormand, é preciso... É preciso para você também... Não deve ignorar que tem inimigos poderosos... e se eu não estivesse aqui... Afinal, é inadmissível que você, Lenormand, se esquive dessa forma... E os cúmplices, o que me diz deles? Não há apenas Lupin... Há Marco... Há também o engraçadinho que representou o papel do Sr. Kesselbach para descer ao subsolo do Crédit Lyonnais.

— Bastará esse, senhor presidente?

— Se bastará! Ora bolas! Acredito em você.

— Pois bem, dê-me oito dias.

— Oito dias! Mas não se trata de uma questão de dias, meu caro Lenormand, é simplesmente uma questão de horas.

— Quantas horas me dará, senhor presidente?

Valenglay olhou seu relógio e zombou:

— Eu lhe dou dez minutos, meu caro Lenormand.

O chefe da Sûreté tirou seu relógio e, com uma voz descansada, como se estivesse declamando um poema:

— São quatro além do que preciso, senhor presidente.

* * *

Valenglay olhou-o espantado.

— Quatro além? Que quer você dizer com isso?

— Eu digo, senhor presidente, que os dez minutos que me dá são inúteis. Tenho necessidade de apenas seis, nada mais.

— Ora essa! Mas Lenormand, a brincadeira não me parece de bom gosto...

O chefe da Sûreté aproximou-se da janela e fez um sinal a dois homens que passeavam no pátio principal. Depois voltou-se:

— Senhor procurador-geral, faça-me o favor de assinar um mandado de prisão em nome de Daileron Auguste Maximin Philippe, idade 47 anos. Deixe a profissão em branco.

Abriu a porta de entrada.

— Pode vir, Gourel... e você também, Dieuzy.

Gourel apresentou-se, ladeado pelo inspetor Dieuzy.

— Trouxe as algemas, Gourel?

— Trouxe, chefe.

Lenormand adiantou-se em direção de Valenglay.

— Senhor presidente, está tudo pronto. Mas insisto mais uma vez para desistir desta prisão. Ela vai estragar todos os meus planos; ela pode mesmo fazer com que eles malogrem, e apenas para dar uma pequena satisfação, estamos arriscando a comprometer todo o trabalho.

— Sr. Lenormand, lembro-lhe que não tem mais do que oitenta segundos...

O chefe reprimiu um gesto de desagrado, atravessou o cômodo da direita para a esquerda apoiando-se na bengala, sentou-se com um ar aborrecido, como se estivesse disposto a se calar, e depois, subitamente, decidiu-se:

— Senhor presidente, a primeira pessoa que entrar nesta sala será a que o senhor quer prender... contra a minha vontade, quero deixar bem claro.

Apenas quinze segundos, Lenormand.

— Gourel... Dieuzy... a primeira pessoa, já sabem? O senhor procurador já assinou o mandado?

— Apenas dez segundos, Lenormand.

— Senhor presidente, quer fazer-me o favor de tocar a campainha?

Valenglay tocou.

O contínuo apareceu na soleira da porta e esperou. Valenglay voltou-se para o chefe:

— Pois bem, Lenormand, aguardamos suas ordens. A quem devemos anunciar?

— Ninguém.

— Mas quanto a esse criminoso que você me prometeu prender? Os seis minutos já se esgotaram.

— Pois sim, mas ele está aqui.

— Como? Não o compreendo, uma vez que não entrou ninguém.

— Entrou.

— Ora essa!... Mas... vejamos... Lenormand, você está se divertindo à minha custa... Volto a repetir que não entrou ninguém.

— Nós éramos quatro nesta sala, senhor presidente, e agora somos cinco. Portanto, entrou alguém.

Valenglay deu um salto:

— Hein? É uma loucura!... o que quer dizer?...

Os dois agentes esgueiraram-se entre a porta e o contínuo. Lenormand aproximou-se deste, colocou as mãos sobre seus ombros e numa voz firme disse:

— Em nome da lei, Daileron Auguste Maximin Philippe, chefe dos contínuos da presidência do Conselho, eu o prendo.

Valenglay estourou de rir:

— Esta é muito boa... Muito boa... Esse danado desse Lenormand sempre tem das suas! Bravo! Lenormand, há muito tempo que eu não ria com tanta vontade...

Lenormand voltou-se para o procurador-geral:

— Senhor procurador-geral, não esqueça de colocar no mandado de prisão a profissão do Sr. Daileron, ouviu? Chefe dos contínuos da Presidência do Conselho...

— Está bem... está bem... chefe dos contínuos da Presidência do Conselho... — gaguejou Valenglay, que se torcia de rir...

— Ah! Esse bom Lenormand, sempre com suas tiradas geniais... O público pedia uma prisão... Viam! Ele atira em quem? Meu chefe dos contínuos... Auguste, o servidor-modelo... Pois bem, Lenormand, na verdade eu sabia que você tem uma certa dose de fantasia, mas nunca a tal ponto, meu caro! Que coragem!

Desde o início da cena Auguste não se movera e parecia não compreender nada do que se passava em sua volta. Sua plácida figura de subalterno leal e fiel tinha um ar absolutamente espantado. Olhava de um para outro os interlocutores, fazendo um visível esforço para assimilar o sentido de suas palavras.

Lenormand disse qualquer coisa a Gourel, que saiu. Depois, adiantando-se em direção a Auguste, pronunciou nitidamente:

— Nada feito. Você foi apanhado. O melhor é abrir logo o jogo pois a partida está perdida. O que você fez na terça-feira?

— Eu? Nada. Estava aqui.

— Mente. Era o seu dia de folga. Você saiu.

— Tem razão... eu me lembro... um amigo da província veio... e passeamos no Bois.

— O amigo chamava-se Marco. E o passeio foi no subsolo do Crédit Lyonnais.

— Eu? Ora vejam que ideia!... Marco? Não conheço ninguém com esse nome.

— E isto, você conhece? — exclamou o chefe, colocando-lhe no nariz um par de óculos com hastes de prata.

— Não... não... eu não uso óculos...

— Usa sim, usa quando vai ao Crédit Lyonnais e se faz passar pelo Sr. Kesselbach. Estes foram encontrados no quarto que ocupa, com o nome de Jerome, no número 5 da rua do Colisée.

— Eu, um quarto? Mas eu durmo no Ministério...

— Mas você muda de vestimenta lá para fazer seus trabalhos para o bando de Lupin.

O outro estava lívido e passou a mão na fronte coberta de suor. Balbuciou:

— Não compreendo... O senhor diz coisas... coisas...

— Quer compreender melhor? Pois veja o que encontrei entre os pedaços de papel que você jogou na cesta, em seu local de trabalho, aqui mesmo.

E Lenormand abriu uma folha de papel timbrado da repartição, onde se lia diversas vezes, como uma assinatura que se procura imitar: Rudolf Kesselbach.

— Pois bem, que diz disso, meu bravo servidor? Exercícios para uma boa assinatura do Sr. Kesselbach não bastam como uma prova?

Um soco em pleno peito fez com que o Sr. Lenormand se desequilibrasse. De um salto, Auguste estava diante da janela aberta, pulava a grade e alcançava o pátio.

— Diabo! — gritou Valenglay. — Ah! o bandido!

Tocou a sineta, correu, quis chamar pela janela. Lenormand disse-lhe calmamente:

— Não se agite tanto assim, senhor presidente.

— Mas esse canalha desse Auguste...

— Um segundo, eu lhe peço... eu previ este desfecho... esperava mesmo... pois não haveria confissão melhor.

Dominado por tanto sangue-frio, Valenglay retomou seu lugar. Dentro de alguns instantes, Gourel trazia preso pela gola o Sr. Daileron Auguste Maximin Philippe, também conhecido como Jerome, chefe dos contínuos da Presidência do Conselho.

— Traga-o, Gourel — disse Lenormand, como se ordenasse a um cão de caça que voltasse com a presa entre os dentes... Ele não reagiu?

— Um pouco, mas eu dei duro — replicou o sargento, mostrando a mão enorme e nodosa.

— Bem, Gourel. Agora leve esse bom homem ao distrito, num carro. Passe bem, senhor Jerome.

Valenglay se divertia bastante. Esfregava as mãos rindo. A ideia de que o chefe dos contínuos era um cúmplice de Lupin parecia-lhe a mais deliciosa e irônica das aventuras.

— Bravo, meu caro Lenormand, foi tudo admirável. Como conseguiu agir desta forma?

— Da forma mais simples. Eu sabia que o Sr. Kesselbach se dirigira à agência de Barbareux e que Lupin se apresentara a ele, dizendo-se enviado pela agência. Procurei desse lado e compreendi que a indiscrição comprometendo o Sr. Kesselbach e Barbareux só podia ter como autor um indivíduo chamado Jerome, amigo de um empregado da agência. Se não me tivesse ordenado apressar as coisas, eu vigiaria Jerome e chegaria assim a Marco e posteriormente a Lupin.

— Você chegará lá, Lenormand. E iremos assistir ao espetáculo mais sensacional do mundo: a luta entre você e Lupin. E desde já aposto em você. No dia seguinte pela manhã, os jornais publicavam esta nota:

"Carta aberta ao Sr. Lenormand, chefe da Sûreté.

Meus melhores cumprimentos, caro senhor e amigo, pela prisão do contínuo Jerome. Foi um bom trabalho, bem feito, digno do senhor.

Todas as minhas felicitações igualmente pela maneira engenhosa como provou ao presidente do Conselho que eu não era o assassino do Sr. Kesselbach. A demonstração foi clara, lógica, irrefutável e, sobretudo, verídica. Como sabe, eu não mato. Obrigado por haver estabelecido, na ocasião, essa verdade. A estima de meus contemporâneos e a vossa, caro senhor e amigo, são, para mim, indispensáveis.

Em troca, permita-me ajudá-lo na perseguição ao monstruoso assassino e dar um pequeno empurrão ao caso Kesselbach. Caso muito interessante, creia, tão interessante e tão digno da minha atenção que saí do retiro onde vivia há quatro anos, entre meus livros e meu fiel cão Sherlock, convoquei todos os meus velhos camaradas, e volto novamente à atividade.

Como a vida e o destino traçam caminhos imprevistos! Eis-me vosso colaborador. Esteja certo, caro senhor e amigo, que me felicito por isso e que aprecio em seu justo valor esta graça do destino.

Assinado: Arsène Lupin

PS: Uma palavra ainda para a qual certamente conto com a vossa aprovação. Como é impróprio que um cavalheiro que leve o glorioso privilégio de combater sob minha bandeira mofe na palha úmida de vossas prisões, acredito dever lealmente prevenir-vos de que, dentro de cinco semanas, na sexta-feira, 31 de maio, libertarei o senhor Jerome, promovido por mim ao posto de chefe dos contínuos da Presidência do Conselho. Não esqueça a data: 31 de maio.

— A. L.”

Capítulo 4

PRÍNCIPE SERNINE EM CENA

Um andar térreo, na esquina do *bulevar* Haussmann com a rua de Courcelles. É aí que mora o príncipe Sernine, um dos membros mais brilhantes da colônia russa em Paris, e cujo nome pode ser frequentemente encontrado nas páginas sobre viagens e férias dos jornais.

Onze horas da manhã. O príncipe entra em seu escritório. É um homem com idade entre 35 e 40 anos. Seus cabelos castanhos já mostram alguns fios prateados. Ele tem uma pele saudável, um bigode forte e costeletas cortadas muito curtas, mal desenhadas na pele fria das bochechas. Ele está corretamente vestido com um sobretudo cinza que aperta sua cintura e um colete branco.

— Vamos, — murmurou — creio que o dia vai ser trabalhoso.

Abriu uma porta que dava para um grande cômodo onde algumas pessoas esperavam e disse:

— Varnier está aí? Entre logo, Varnier.

Um homem, tipo do pequeno-burguês, atarracado, sólido, firme no andar, atendeu a seu chamado. Logo que ele entrou o príncipe fechou a porta.

— Pois bem, como está você, Varnier?

— Está tudo pronto para esta noite, chefe.

— Perfeito. Conte em poucas palavras.

— Vejamos. Desde o assassinato de seu marido, a Sra. Kesselbach, motivada por um prospecto que viu, escolheu como moradia um lar para terceira idade, situado em Garches. Ela mora no fundo do jardim, o último dos quatro pavilhões que a direção aluga às damas que desejam viver afastadas das pensionistas, o pavilhão da Imperatriz.

— E os empregados?

— Está com sua dama de companhia, Gertrude, com quem chegou depois do crime, e a irmã de Gertrude, Suzanne, que mandou buscar em Monte-Carlo e que trabalha como arrumadeira. As duas lhe são inteiramente devotadas.

— E Edwards, o mordomo?

— Não ficou com ele. Voltou para a terra dele.

— Recebe visitas?

— Ninguém. Passa a maior parte do tempo esticada em um sofá. Parece muito fraca, doente. Chora muito. Ontem o juiz de instrução passou duas horas em sua companhia.

— E quanto à moça?

— A senhorita Geneviève Ernemont mora do outro lado da estrada... uma travessa que vai dar em pleno campo e, na terceira casa à direita. Mantém uma escola livre e gratuita para crianças especiais. Sua avó, Sra. Ernemont, mora com ela.

— E de acordo com o que me escreveu, Geneviève Ernemont e a senhora Kesselbach travaram conhecimento?

— Travaram. A jovem foi pedir à Sra. Kesselbach algum auxílio para sua escola. Devem ter se dado bem, pois há quatro dias que saem juntas pelo parque de Villeneuve, sendo que os jardins do lar para terceira idade fazem parte do parque.

— A que horas saem?

— De cinco às seis. Exatamente às seis, a jovem volta à escola.

— Então, você organizou tudo?

— Para hoje, às seis horas. Está tudo pronto.

— Não haverá ninguém?

— A essa hora nunca há ninguém no parque.

— Está certo. Estarei lá. Pode ir.

Fez com que ele saísse pela porta do corredor. Voltando à sala de espera, chamou:

— Os irmãos Doudeville.

Entraram dois jovens vestidos com elegância um pouco exagerada, olhos vivos e ar simpático.

— Bom-dia, Jean. Bom-dia, Jacques. Alguma novidade na chefatura de polícia?

— Quase nada, chefe.

— Lenormand continua confiando em vocês?

— Continua. Depois de Gourel, somos seus agentes favoritos. A prova está no fato de ele nos ter instalado no Palace Hotel para vigiar as pessoas que moravam no primeiro andar, quando do assassinato de Chapman. Gourel vem todas as manhãs e fazemos um relatório igual ao que fazemos ao senhor.

— Perfeito. É essencial que eu esteja a par de tudo que se faça e se diga na chefatura de polícia. Enquanto Lenormand acreditar que vocês são seus homens, estarei no controle da situação. E no hotel, descobriram alguma coisa?

Jean Doudeville, o mais velho, respondeu:

— A inglesa, aquela que morava em um dos quartos, foi embora.

— Essa não me interessa. Tenho minhas informações sobre ela. Mas quanto ao seu vizinho, o major Parbury?

Eles pareceram constrangidos. Finalmente um deles respondeu:

— Esta manhã o major Parbury mandou que levassem sua bagagem à Estação do Norte, para o trem de meio-dia e cinquenta, e saiu, por sua vez, de carro. Estivemos na partida do trem. O major não apareceu.

— E as bagagens?

— Ele mandou buscá-las na estação.

— Por quem?

— Por um mensageiro, segundo nos informaram.

— Desta forma, sua pista está perdida?

Está.

— Enfim! — exclamou o príncipe alegremente.

Os dois olharam para ele, surpresos.

— É isso mesmo — disse ele.

— Aí temos uma pista.

— Pensa assim?

— Evidentemente. O assassinato de Chapman só pode ter sido cometido em um dos quartos que dessem para esse corredor. Foi lá, para o quarto de um cúmplice, que o assassino do Sr. Kesselbach levou o secretário, foi lá que o matou, foi lá que trocou de roupa e que, depois da saída do assassino, colocou o corpo no corredor. Mas que cúmplice? A maneira pela qual desapareceu o major Parbury parece provar que ele não é um estranho ao caso. Rápido, telefonem para dar a boa notícia ao Sr. Lenormand ou a Gourel. É preciso que sejam postos a par o mais depressa possível.

Esses senhores e eu andamos de mãos dadas, trabalhamos juntos.

Fez ainda algumas recomendações ao seu duplo papel de inspetores de polícia a serviço do príncipe Sernine, e despediu-os.

Na sala de espera restavam dois visitantes. Fez com que um deles entrasse.

— Mil desculpas, doutor — disse-lhe. — Sou todo seu. Como vai Pierre Leduc?

— Morto.

— Oh! — fez Sernine. — Já esperava por isso depois do que me disse esta manhã... Mas, assim mesmo, o pobre rapaz não durou muito...

— Ele estava enfraquecido ao máximo. Uma síncope, e pronto: tudo acabado.

— Ele não falou?

— Nada.

— Tem certeza de que desde o dia em que o apanhamos debaixo da mesa de um café, em Belleville, ninguém em sua clínica desconfiou que ele era Pierre Leduc, procurado pela polícia, esse misterioso Pierre Leduc que Kesselbach queria encontrar a qualquer preço?

— Ninguém. Ele estava num quarto separado. Além disso, envolvi sua mão esquerda com um curativo para que ninguém pudesse ver o ferimento do dedo mínimo. Quanto à cicatriz do rosto, ela ficava invisível com a barba.

— E vigiou-o pessoalmente?

— Pessoalmente. E seguindo suas instruções, aproveitei para interrogá-lo em todos os momentos em que parecia estar lúcido. Mas consegui apenas murmúrios ininteligíveis.

O príncipe murmurou de maneira pensativa:

— Morto... Pierre Leduc está morto... Todo o caso Kesselbach evidentemente dependia dele e agora... eis que ele desaparece, sem uma revelação, sem uma única palavra sobre si mesmo, seu passado... Deverei embarcar nesta aventura da qual até agora não compreendo nada? É perigoso... Posso naufragar...

Refletiu um momento e exclamou:

— Ah! Vou em frente assim mesmo. O simples fato de Pierre Leduc estar morto não é razão bastante para que eu abandone o jogo. Pelo contrário! E a ocasião é tentadora. Pierre Leduc morreu. Viva Pierre Leduc!... Vá, doutor. Volte para casa. Esta noite eu lhe telefonarei.

O médico saiu.

— Agora somos nós, Philippe — disse Sernine ao último visitante, um homem pequeno, de cabelos grisalhos, vestido como um empregado de hotel, mas de um hotel de décima classe.

— Chefe, — começou Philippe — lembro-lhe que na semana passada o senhor me colocou como camareiro no Hotel Dois Imperadores, em Versalhes, para vigiar um homem.

— Eh, eu sei... Gérard Baupré. Como está ele?

— Está arrasado.

— Sempre com ideias sinistras?

— Sempre. Quer se matar.

— Seriamente?

— Seriamente. Encontrei entre seus papéis esta pequena nota escrita a lápis.

— Ah! ah! — riu Sernine lendo a nota — Ele anuncia sua morte... e será para esta noite!

— Sim, chefe, a corda já foi comprada e um gancho preso no teto... Seguindo suas ordens fiz amizade com ele e contou-me sua angústia; aconselhei-o a procurá-lo. "O príncipe Sernine é rico e generoso e talvez o ajude" disse-lhe eu.

— Tudo perfeito. Ele então virá?

— Ele está aí.

— Como sabe?

— Eu o segui. Tomou o trem de Paris e agora passeia de um lado para outro do bulevar. A qualquer momento tomará uma decisão.

Nesse instante um empregado trouxe um cartão. O príncipe leu e disse:

— Faça entrar o senhor Gérard Baupré.

E voltando-se para Philippe:

— Entre nesta sala, escute, e não se mexa.

Ficando só, o príncipe murmurou:

— Como poderia hesitar? É o próprio destino quem me envia este...

Alguns minutos mais tarde entrava um jovem alto, loiro, esbelto, com o rosto emagrecido, um olhar febril, que ficara na soleira da porta, embaraçado, hesitante, na atitude de um mendigo que quer estender a mão mas não tem coragem. A conversa foi curta.

— É o Sr. Gérard Baupré?

— Sim... sim... sou eu.

— Não tenho a honra...

— Bem... senhor... bem... me disseram...

— Quem?

— Um empregado do hotel... que afirmou já haver trabalhado em sua casa...

— Mas afinal?

— Bem...

O homem se calou, intimidado, transtornado com a atitude altiva do príncipe. Este exclamou:

— Entretanto, senhor, talvez fosse necessário...

— Pois bem, senhor... disseram-me que era muito rico e generoso... E pensei se seria possível...

Interrompeu-se, incapaz de pronunciar a palavra de pedido, de humilhação. Sernine aproximou-se dele.

— Senhor Gérard Baupré, não publicou um livro de versos, chamado O Sorriso da Primavera?

— Sim, publiquei — exclamou o jovem com uma expressão contente no rosto.

— O senhor o leu?

— Li... Muito bonitos seus versos... muito bonitos... Mas será que o senhor espera conseguir viver com o que eles poderão lhe dar?

— Certamente... um dia ou outro...

— Um dia ou outro... sobretudo o outro, não é? E enquanto espera o senhor vem me pedir uma ajuda para ir vivendo?

— Para comer, senhor.

Sernine pôs a mão em seu ombro e disse friamente:

— Os poetas não comem, senhor. Eles se alimentam de rimas e de sonhos. Faça isso. É melhor do que pedir esmolas.

O jovem tremeu ao ouvir o insulto. Sem uma palavra dirigiu-se rapidamente para a porta. Sernine chamou-o:

— Uma palavra ainda, senhor. Não tem mais nenhum recurso?

— Nenhum.

— E não espera qualquer coisa?

— Tenho uma esperança... Escrevi a um dos meus parentes, pedindo que me enviasse qualquer coisa. Terei a resposta hoje. É minha última esperança.

— E se não tiver resposta, está decidido, sem dúvida, esta noite mesmo a...

— Sim, senhor.

Isto foi dito simples e concisamente. Sernine estourou de rir.

— Meu Deus! Você é cômico, meu bravo jovem! E que convicção mais ingênua! Volte no ano que vem, está certo?... Voltaremos a falar sobre tudo isso... É tão curioso, tão interessante... e sobretudo tão engraçado... ah! ah! ah!

Contorcendo-se de rir, com gestos afetados e saudações, o acompanhou até a porta.

— Philippe. — disse ele abrindo a porta da sala onde se escondera o empregado do hotel — ouviu bem?

— Ouvi, chefe.

— Gérard Baupré espera esta tarde um telegrama, uma promessa de socorro...

— Sim, seu último cartucho.

— Ele não deve receber este telegrama. Se chegar, apanhe-o antes de ser entregue e rasgue-o.

— Está bem, chefe.

— Você está só no hotel?

— Estou só com o cozinheiro, que não dorme lá. O patrão está ausente.

— Bem. Somos os donos. Esta noite, pelas onze horas. Agora vá.

* * *

O príncipe Sernine passou para seu quarto e chamou o empregado.

— Meu chapéu, minhas luvas e minha bengala. O automóvel está pronto?

— Está, senhor.

Aprontou-se, saiu e instalou-se em uma grande e confortável limusine que o levou ao Bois de Boulogne, à casa do marquês e da marquesa de Gastyne, onde fora convidado para almoçar.

Às duas e meia deixou seus anfitriões, parou na Avenida Kléber, apanhou dois de seus amigos e um médico, e chegou às cinco para às três horas no parque des Princes.

Às três horas, travou uma luta de sabre com o comandante italiano Spinelli, e logo ao primeiro ataque cortou a orelha do seu adversário. Às três horas e três quartos, em um clube da Rua Cambon, bancava um jogo de onde saiu às cinco horas e vinte, com um lucro de quarenta e sete mil francos.

Tudo isso sem pressa, com um ar de indolência altiva, como se a movimentação diabólica que parecia transformar sua vida em um turbilhão de acontecimentos fosse regra, mesmo em seus dias mais calmos.

— Octave, — disse ele a seu chofer —, vamos a Garches.

E às dez para as seis descia do carro diante dos velhos muros do parque de Villeneuve.

Atualmente desmembrado, arruinado, o domínio de Villeneuve conserva ainda algo do esplendor que conheceu no tempo em que a Imperatriz Eugênia aí vinha repousar. Com suas velhas árvores, o lago, o horizonte de vegetação que se estendia pelos bosques de Saint-Cloud, a paisagem tinha um encanto melancólico.

Uma parte importante do domínio fora doada ao Instituto Pasteur. Uma parte menor, separada da primeira por todo o espaço reservado ao público, forma uma propriedade bastante grande, onde se encontram reunidos, em torno da casa de repouso, quatro pavilhões isolados.

— É ali que mora a Sra. Kesselbach — monologou o príncipe, vendo ao longe os telhados da casa e dos quatro pavilhões.

Enquanto isso, atravessava o parque na direção do pequeno lago. De repente, parou atrás de um grupo de árvores. Havia vislumbrado duas mulheres apoiadas no parapeito da ponte que cruzava o lago.

— Varnier e seus homens devem estar nas vizinhanças. Mas caramba! Eles sabem se esconder! Bem que os procuro...

As duas mulheres passeavam agora pelo gramado, sob as grandes e veneráveis árvores. O azul do céu aparecia entre os ramos, ligeiramente agitados por uma brisa calma, e sentia-se no ar o perfume da primavera e da vegetação nova.

No declive relvado que descia para a água imóvel, as margaridas, violetas, narcisos e todas as pequenas flores de abril e de maio se agrupavam e formavam uma espécie de constelação com todas as cores. O sol desaparecia no horizonte.

De repente três homens surgiram de um pequeno bosque e foram ao encontro das mulheres. Abordaram-nas.

Houve uma troca de palavras. As duas damas mostravam evidentes sinais de medo. Um dos homens avançou para a mais baixa e tentou apanhar a bolsa dourada que ela trazia na mão. Gritaram e eles as atacaram.

— É o momento exato de aparecer — disse consigo mesmo o príncipe. Em dez segundos quase atingira a margem do lago. À sua aproximação os três homens fugiram.

— Fujam, malandros — zombou ele. — Fujam correndo o mais que possam. Eis aqui o salvador que aparece.

Pôs-se a persegui-los. Mas uma das senhoras pediu:

— Oh! Senhor, eu lhe peço... minha amiga está doente...

A mais baixa das duas estava realmente caída sobre a relva, desmaiada. Retornou inquieto:

— Ela está ferida? — disse. — Será que aqueles miseráveis...

— Não... não... é apenas o susto... a emoção... E além disso... o senhor compreenderá... esta é a Sra. Kesselbach...

— Oh! — fez ele.

Ofereceu um frasco de sais que a jovem deu logo à amiga para respirar. Depois acrescentou:

— Levante a ametista que serve de tampa... Há uma pequena caixa e nessa caixa algumas pastilhas. Basta que madame tome uma... uma apenas... é bastante forte...

Observava a jovem atendendo a amiga. Era loura, com um aspecto bem simples, a fisionomia grave e doce, e um sorriso que animava seus traços, mesmo quando não sorria.

— É Geneviève — pensou.

E repetiu para si mesmo, comovido:

— Geneviève... Geneviève...

A Sra. Kesselbach aos poucos voltara a si. Primeiro espantada, parecia não compreender o que se passara. Depois, voltando-lhe a memória, com um aceno de cabeça agradeceu ao seu salvador.

Ele inclinou-se profundamente e disse:

— Permita-me que me apresente... Príncipe Sernine.

Ela disse em voz baixa:

— Não sei como possa expressar meu reconhecimento.

— Não o exprimindo, senhora. É ao acaso que deve agradecer, acaso que guiou minha caminhada nesta direção. Mas posso lhe oferecer meu braço?

Alguns instantes depois a Sra. Kesselbach dizia ao príncipe:

— Pedirei ao senhor um último favor. Não comente esta agressão.

— Mas, senhora, seria a única forma de saber...

— Para descobrir, seria necessária uma investigação, e ainda haveria barulho à minha volta, interrogatórios, cansaço, e estou no limite das minhas forças — argumentou.

O príncipe não insistiu. Saudando-a perguntou:

— Permita-me que tenha notícias suas?

— Mas certamente...

Ela beijou Geneviève e entrou.

A noite começava a cair. Sernine não quis que Geneviève voltasse só. Mas apenas entraram num atalho, uma silhueta destacou-se da sombra e correu em sua direção.

— Vovó — exclamou Geneviève.

Atirou-se nos braços da velha senhora que a cobriu de beijos.

— Ah! Minha querida, minha querida, o que se passou? Como está atrasada, logo você que é tão pontual!

Geneviève apresentou:

— Sra. Ernemont, minha avó. O príncipe Sernine...

Depois narrou o incidente e Sra. Ernemont repetia:

— Oh! Minha querida, como você deve ter sentido medo!... não esquecerei nunca, senhor... eu juro... Mas como deve ter sentido medo, querida!

— Vamos, vovó, acalme-se, já que estou aqui e estou bem...

— Sim, mas o susto pode fazer-lhe mal... Nunca se sabe as consequências... Oh! É horrível!...

Caminharam ao longo de uma cerca viva acima da qual se poderia imaginar um jardim arborizado, alguns canteiros de flores, um pátio e uma casa branca. Atrás da casa abria-se, escondida por um grupo de salgueiros dispostos como um caramanchão, uma pequena cancela.

A senhora idosa convidou o príncipe Sernine a entrar e o conduziu a uma pequena saleta, que também servia como sala de visitas.

Geneviève pediu ao príncipe permissão para se retirar um instante para ver seus alunos, pois estava na hora do jantar.

O príncipe e a Sra. Ernemont ficaram sós.

A senhora tinha uma figura pálida e triste, cabelos brancos com faixas presas à inglesa. Muito forte, andar pesado, ela tinha, apesar de sua aparência e seus trajes de dama, algo um tanto vulgar, mas os olhos eram infinitamente bondosos.

Enquanto arrumava um pouco a mesa, continuando a falar de sua inquietação, o príncipe Sernine aproximou-se dela, tomou-lhe a cabeça entre as mãos e beijou-a nas duas faces.

— Então, minha senhora, como está?

Ela olhou-o espantada, olhos esbugalhados, a boca aberta. O príncipe beijou-a novamente rindo. Ela gaguejou:

— Você! É você! Jesus-Maria... Jesus-Maria... Será possível... Jesus-Maria!...

— Minha boa Victoire.

— Não me chame assim — exclamou ela trêmula. — Victoire está morta... Sua velha babá não existe mais. Pertenço inteiramente a Geneviève...

Acrescentou em voz baixa...

— Ah! Jesus... bem que eu li seu nome nos jornais... Então é verdade, recomeçou o mau caminho?

— Como pode ver.

— Você me havia jurado que estava acabado, que partia para sempre, que iria se tornar honesto.

— Tentei. Há quatro anos que venho tentando... Você não dirá que durante esse tempo ouviu alguma vez falar em mim...

— E daí?

— Daí é que isso me aborrece.

Ela suspirou.

— Sempre o mesmo... Você não mudou... Ah! Está bem claro que nunca mudará... Assim, está metido no caso Kesselbach?

— Claro! De outra forma não teria me dado ao trabalho de planejar a abordagem à Sra. Kesselbach, às seis horas, uma agressão para poder, às seis horas e cinco, arrancá-la das garras dos meus homens. Salva por mim, sente-se agora obrigada a me receber. Eis-me no centro da fortaleza e, protegendo a viúva, vigio os arredores. Ah! Que quer você, a vida que levo não me permite uma dieta de mimos e aperitivos. É preciso que eu aja com golpes teatrais, tenha vitórias brutais.

Ela observou-o assustada e balbuciou:

— Compreendo... compreendo... tudo isto é mentira... Mas então Geneviève...

— Ah! Com uma cajadada acerto dois coelhos. Enquanto preparava a salvação para uma, era como se trabalhasse para as duas. Imagine só o que eu gastaria de tempo, de esforços inúteis talvez, para conseguir entrar na intimidade dessa criança! Que era eu para ela? Que seria ainda? Um desconhecido... um estranho.

Agora eu sou o salvador, o herói. Dentro de uma hora, serei o amigo.

Ela se pôs a tremer:

— Quer dizer que você não salvou Geneviève... e assim você vai nos envolver em suas histórias...

E de repente, num gesto de revolta, agarrando-o pelos ombros:

— Pois muito bem, não! Estou cheia, entende? Você não me trouxe um dia esta menina dizendo: "Tome, eu a confio a você... seus parentes morreram... tome-a sob sua proteção"? Pois bem; ela está sob minha proteção e saberei protegê-la contra você e contra todos seus estratagemas!

De pé, ereta, com os punhos crispados, o rosto sério, a Sra. Ernemont parecia pronta a enfrentar qualquer eventualidade.

Calma e delicadamente, o príncipe Sernine baixou uma de cada vez as mãos que o seguravam e, segurou-a pelos ombros, sentou-a numa cadeira, abaixou-se, e com ar tranquilo lhe falou:

— Calma!

Ela começou a chorar, derrotada, e cruzou as mãos diante de Sernine:

— Eu lhe peço, nos deixe em paz. Estamos tão felizes! Pensei que você tivesse nos esquecido e abençoava o céu a cada dia que se passava. Mas sim... eu lhe quero bastante, apesar de tudo. Mas Geneviève... veja bem, eu não sei o que seria capaz de fazer por essa criança. Ela tomou o seu lugar no meu coração.

— Estou notando isso — disse ele rindo. — Você me mandaria ao diabo com o maior prazer. Vamos, deixemos de asneiras. Não tenho tempo a perder. Preciso falar com Geneviève.

— Você vai lhe falar?

— Que é que tem? Será algum crime?

— E o que você para lhe dizer?

— Um segredo... um segredo muito sério... muito emocionante...

A velha senhora assustou-se:

— Que certamente a aborrecerá e a fará sofrer? Oh! Tenho medo de tudo... medo de tudo por causa dela...

— Aí está ela! — disse ele.

— Não, ainda não.

— Sim, sim, eu a ouço... enxugue os olhos e seja razoável...

— Ouça, ouça, eu não sei quais as palavras que você vai lhe dizer, qual o segredo que vai revelar a esta criança que você não conhece... Mas eu que a conheço lhe aviso que Geneviève tem uma natureza valente, forte, mas muito sensível. Tome cuidado com suas palavras... Você poderá feri-la em seus sentimentos... sentimentos de que você não pode suspeitar...

— E por quê, meu Deus?

— Porque ela é de uma raça diferente da sua, de um outro mundo moral... Há coisas que você agora não pode mais compreender. Entre os dois, o obstáculo é intransponível... Geneviève tem a consciência mais pura, mais elevada... e você...

— E eu?

— Você não é um homem honesto.

Geneviève entrou, alegre e encantadora.

— Minhas crianças estão todas no dormitório; tenho dez minutos de descanso... Pois bem, vovó, que é que há? Está com um ar estranho... É ainda essa história?

— Não, senhorita — disse Sernine —, creio ter tido a felicidade de tranquilizar sua avó. Conversamos unicamente sobre sua infância e, ao que parece, é um assunto que sempre emociona sua avó.

— De minha infância?... — disse Geneviève corando. — Oh! vovó!

— Não se zangue com ela, senhorita, foi por acaso que tocamos no assunto. Acontece que passei diversas vezes pela aldeia onde cresceu.

— Aspremont? — Aspremont, perto de Nice... Morava lá numa casa nova, toda branca...

— Sim — disse ela —, toda branca, com um pouco de azul em torno das janelas... Eu era muito nova, pois deixei Aspremont com sete anos; mas me recordo das menores coisas daquela época. Nunca esqueci o brilho do sol sobre a fachada branca, nem a sombra do eucalipto no fundo do jardim...

— No fundo do jardim, senhorita, havia um campo de oliveiras e sob uma delas, uma mesa, onde sua mãe trabalhava nos dias de calor..,

— É verdade, é verdade — disse ela emocionada. — Eu brincava a seu lado.

— E foi lá — disse ele — que vi sua mãe várias vezes... Ainda há pouco, quando a vi, pareceu-me ver sua imagem... mais alegre, mais feliz.

— Minha mãe realmente não era feliz. Meu pai morrera no dia do meu nascimento e ela nunca conseguiu esquecê-lo. Chorava muito. Guardei dessa época um pequeno lenço com o qual ela enxugava as lágrimas.

— Um lencinho com desenhos cor-de-rosa.

— Como! — disse ela espantada. — Como pode saber...

— Eu estava lá um dia quando você a consolava... E você a consolava com tanta gentileza que a cena ficou para sempre em minha memória.

Ela olhou-o profundamente e murmurou como para si mesma:

— Sim... sim... parece que me lembro... a expressão de seus olhos... e depois o tom de sua voz...

Baixou as pálpebras um instante e recolheu-se como se procurasse, sem sucesso, fixar uma lembrança que lhe escapava. Continuou:

— Então a conhecia?

— Eu tinha amigos perto de Aspremont, onde algumas vezes a encontrava. A última vez pareceu-me mais triste ainda... mais pálida, e quando retornei...

— Estava tudo acabado, não? — disse Geneviève.

— Sim, foi rápido... poucas semanas... e fiquei só, com vizinhos que a velavam... e uma manhã a levaram... E na noite desse mesmo dia, quando eu dormia, veio alguém que me carregou no colo, embrulhada em cobertas...

— Um homem? — perguntou o príncipe.

— Foi, um homem. Ele me falava baixinho, docemente... e a sua voz me fazia bem... e me levando pela estrada, depois num carro, durante a noite, ele me embalava e contava histórias... com aquela voz... com a mesma voz...

Pouco a pouco interrompeu-se e olhou-o novamente, com mais firmeza ainda, e com um visível esforço para fixar aquela impressão fugidia que por um instante lhe aflorara.

Ele perguntou:

— E depois? Para onde a levou?

— Aí minha lembrança é um tanto vaga... É como se eu tivesse dormido algum tempo... Só voltei a mim na Vendée, onde passei a segunda metade da minha infância, em Montégut, na residência do casal Izereau, boa gente. Eles me trataram, me educaram e jamais esquecerei a dedicação e carinho deles.

— Morreram também?

— Morreram — disse ela —, uma epidemia de febre tifoide na região... mas eu só soube mais tarde... Desde o princípio da doença dos dois, fui levada de lá, como da primeira vez, nas mesmas condições, à noite, por alguém que me envolveu em cobertas... Só que eu era maior, me debati, quis gritar... e ele teve que tapar-me a boca com um lenço.

— Que idade tinha?

— Quatorze anos... já lá se vão quatro anos.

— E não conseguiu distinguir bem esse homem?

— Não, ele se disfarçavas e não proferiu uma única palavra... Entretanto, sempre pensei que fosse o mesmo porque guardei a lembrança da mesma delicadeza, os mesmos gestos de atenção, cheios de cuidados.

— E depois?

— Depois, como da primeira vez, o esquecimento, o sono... Dessa vez, acho que eu estava doente, tinha febre... Voltei a mim num quarto alegre, claro. Uma senhora de cabelos brancos estava debruçada sobre mim e sorriu-me. Era minha avó... e o quarto é o que ocupo lá em cima.

Ela retomara seu ar feliz, sua alegre expressão, e terminou sorrindo:

— E eis como a Sra. Ernemont me achou uma noite, na soleira da porta, adormecida ao que parece, como ela me recolheu, como ela se tornou minha avó e como, depois de algumas provações, a garota de Aspremont finalmente desfruta as alegrias de uma existência calma e ensina Aritmética e a Gramática a crianças rebeldes ou especiais... mas que gostam bastante dela.

Ela falava alegremente, com um tom ao mesmo tempo risonho e calmo, e sentia-se nela o equilíbrio de uma natureza prudente. Sernine escutava-a com uma surpresa crescente e sem procurar dissimular sua perturbação. Perguntou:

— Nunca mais ouviu falar desse homem?

— Nunca mais.

— Ficaria contente em revê-lo?

— Sim, muito contente.

— Pois bem, senhorita...

Geneviève estremeccu.

— O senhor sabe alguma coisa... a verdade talvez...

— Não... não... somente...

Ele se levantou e começou a andar de um lado para outro no pequeno cômodo. De vez em quando seu olhar parava cm Geneviève e ele parecia a ponto de responder por palavras mais claras à pergunta que lhe fora feita. Iria falar? A Sra. Ernemont aguardava angustiada a revelação desse segredo, do qual poderia depender a tranquilidade da jovem.

Ele voltou a sentar-se ao lado de Geneviève, parecendo hesitar ainda, e finalmente lhe falou:

— Não... não... uma ideia que tive... uma lembrança...

— Uma lembrança? E então?

— No seu relato havia alguns detalhes que me induziram em erro. Eu me enganei.

— Tem certeza?

Ele hesitou um instante; depois afirmou:

— Absoluta certeza.

— Ora! — disse ela desapontada — Esperei por momentos... que soubesse...

Não terminou a frase, esperando uma resposta à pergunta que fizera indiretamente, sem, entretanto, formulá-la.

Ele se calou e não insistiu mais. Ela então se voltou para a Sra. Ernemont:

— Boa-noite, vovó, minhas crianças devem estar na cama, mas nenhuma delas dormirá antes que eu as beije. Estendeu a mão ao príncipe:

— Mais uma vez, obrigada.

— Já se vai? — disse ele.

— Desculpe-me; vovó o acompanhará...

Inclinou-se diante dela e beijou-lhe a mão. No momento de abrir a porta, ela voltou-se e sorriu para ele. Depois se foi.

O príncipe escutou o ruído de seus passos que se afastavam e não se mexeu do lugar, pálido de emoção.

— Pois bem, — disse a velha senhora — não falou?

— Não...

— Esse segredo...

— Mais tarde... hoje... é estranho... não consegui.

— Será tão difícil assim? Será que ela não sentiu que é você o desconhecido que por duas vezes a carregou?... Bastava apenas uma palavra...

— Mais tarde... mais tarde... — disse ele novamente seguro de si. — Compreenda bem... essa criança apenas me conhece... É preciso que antes eu conquiste o direito à sua afeição, à sua ternura... Quando eu lhe houver dado a existência que ela merece, uma existência maravilhosa, como a dos contos de fadas, então eu falarei.

A senhora levantou a cabeça.

— Tenho medo que você se engane... Geneviève precisa de uma existência maravilhosa... Ela tem gostos e hábitos bem simples.

— Ela tem os gostos de todas as mulheres. A fortuna, o luxo e o poder proporcionam alegrias que nenhuma delas desdenha.

— Geneviève sim. E é melhor você...

— Veremos mais tarde. Por enquanto deixe-me agir. Fique tranquila. Não tenho nenhuma intenção de envolver Geneviève em minhas travessuras. Ela dificilmente me verá... Só que precisei contatar. Está feito. Adeus.

Ele saiu da escola e dirigiu-se a seu automóvel. Estava feliz.

— Ela é encantadora... tão meiga... tão séria! Os olhos da mãe, esses olhos que me enterneciam até as lágrimas... Meu Deus, como tudo isso me parece distante! E que bela lembrança... um pouco triste, mas tão bela!

Disse em voz alta:

— Certamente eu me ocuparei da sua felicidade. E o mais rápido possível! A partir desta noite! Perfeitamente, a partir desta noite ela terá um noivo! Para as jovens não é essa a principal condição de felicidade?

* * *

Encontrou seu carro na estrada.

— Para casa — disse a Octave.

Ao chegar pediu uma ligação com Neuilly, deu pelo telefone as instruções ao seu amigo a quem chamou de doutor, e depois trocou de roupa.

Jantou no clube da rua Cambon, passou uma hora na ópera e retomou o carro.

— Vamos a Neuilly, Octave. Ao encontro do doutor. Que horas são?

— Dez e meia.

— Nossa! Vamos rápido!

Dez minutos mais tarde, no fim do bulevar Inkermann, estava diante de uma mansão isolada. A um toque da campainha, o doutor desceu. O príncipe perguntou:

— O homem está pronto?

— Embrulhado e devidamente amarrado para presente.

— Está em bom estado?

— Excelente. Se tudo se passar como me falou ao telefone, a polícia nada verá de estranho.

— É seu dever. Traga-o.

Eles o levaram para o carro em uma espécie de saco comprido, com o formato de um ser humano, e que parecia bastante pesado.

O príncipe disse:

— A Versalhes, Octave, rua de la Vilaine, no Hotel Dois-Imperadores.

— Mas é um hotel de segunda classe, um pardieiro — disse o doutor.

— Eu o conheço.

— A quem o diz! E o trabalho será duro, pelo menos para mim... Mas arre! Eu não trocaria meu lugar por uma fortuna! Quem é que disse que a vida é monótona?

Hotel Dois-Imperadores... uma passagem lamacenta... dois degraus para descer, e penetra-se em um corredor iluminado apenas por uma única lâmpada.

Sernine bateu numa pequena porta, com os nós dos dedos.

Um empregado do hotel apareceu. Era Philippe, o mesmo a quem pela manhã Sernine dera ordens a respeito de Gérard Baupré.

— Ele continua aí? — perguntou o príncipe.

— Continua.

— A corda? — O nó está pronto, já foi dado.

— Não recebeu o telegrama que esperava?

— Aqui está, eu o interceptei.

Sernine tomou o papel e leu.

— Nossa! — disse satisfeito. — Foi bem a tempo. Anunciaram para amanhã a chegada de uma nota de mil francos para ele. Vamos, que a sorte está do meu lado. Um quarto para a meia-noite. Dentro de quinze minutos o pobre diabo passará para a eternidade. Conduza-me, Philippe. Fique aqui, doutor.

O empregado pegou uma vela. Subiram ao terceiro andar e seguiram, andando na ponta dos pés, um corredor baixo e fedorento, onde havia um sótão que terminava em uma escada de madeira, onde apodreciam os vestígios de um tapete.

— Ninguém poderá me ouvir? — perguntou Sernine.

— Ninguém. Os dois quartos são isolados. Mas não se engane; ele está no da esquerda.

— Pois bem. Agora pode descer. À meia-noite o doutor, Octave e você o trarão até aqui e o esperam.

A escada de madeira tinha dez degraus que o príncipe subiu com infinitas precauções... No alto, um patamar e duas portas... Sernine levou cinco longos minutos para abrir a porta da direita, sem que um rangido rompesse o silêncio.

Uma luz brilhava nas sombras do quarto. Às apalpadelas para não bater em algum móvel, dirigiu-se em direção da luz. Ela provinha do quarto vizinho e filtrava-se através de uma porta envidraçada, recoberta por um pedaço de cortina.

O príncipe tirou esse tecido. Os vidros estavam estragados, riscados em alguns lugares, de forma que dava para se ver bem tudo o que se passava no quarto ao lado.

Um homem se encontrava ali, bem a sua frente, sentado diante de uma mesa. Era o poeta Gérard Baupré.

Escrevia à luz de uma vela.

Acima dele pendia uma corda amarrada a um grampo fixado no teto. Na extremidade inferior da corda, formava um nó corrediço.

Uma leve pancada fez-se ouvir num relógio da cidade.

— Cinco para meia-noite — pensou Sernine. — Ainda faltam cinco minutos.

O jovem escrevia ainda. Depois de um instante, deixou de lado a caneta, pôs em ordem as dez ou doze páginas de papel que enegrecera de tinta, e pôs-se a relê-las.

A leitura pareceu não lhe agradar pois uma expressão de descontentamento surgiu em seu rosto. Rasgou o manuscrito e queimou os pedaços de papel no fogo da vela.

Depois, com um movimento febril da mão, escreveu algumas palavras em uma folha em branco, assinou rapidamente e se levantou.

Mas percebendo a dez polegadas de sua cabeça a corda, sentou-se pesadamente, com um tremor de medo.

Sernine via distintamente sua figura pálida, as faces magras contra as quais apertava as mãos crispadas. Uma lágrima, uma apenas, correu, lenta e desolada. Os olhos fixavam o vazio, apavorantes de tristeza, parecendo ver a sua frente o terrível nada.

E era uma figura muito jovem, As faces ainda delicadas, sem nenhuma cicatriz, nenhuma ruga, e os olhos azuis, de um azul do céu.

Meia-noite!... As doze badaladas trágicas da meia-noite a que tantos desesperados se agarram como o último segundo de sua existência! Na décima segunda ele se levantou de novo, desta vez corajosamente, sem tremer, e olhou a sinistra corda. Chegou a ensaiar um sorriso — um pobre sorriso, lamentável careta do condenado que a morte já marcara.

Rapidamente subiu na cadeira e tomou a corda entre as mãos.

Ficou um instante imóvel, não por hesitação ou falta de coragem, mas por se tratar do momento supremo, o minuto do perdão que se concede antes do gesto fatal.

Contemplou o quarto miserável onde um mau destino o encurralava, o horrível papel das paredes, a pobre cama.

Sobre a mesa um livro: tudo fora vendido. Nem uma fotografia, nem um envelope de carta! Não tinha mais nem pai nem mãe, nem família... O que o prendia à existência? Nada nem ninguém.

Com um movimento brusco enfiou a cabeça no laço corrediço e puxou a corda até que o nó lhe apertasse bem o pescoço.

E então, com os dois pés derrubando a cadeira, saltou no vazio.

* * *

Dez segundos, vinte segundos se passaram, vinte segundos formidáveis, eternos.

O corpo teve duas ou três convulsões. As pernas, instintivamente, procuraram um ponto de apoio. Mas agora nada mais se movia...

Alguns segundos ainda... A pequena porta envidraçada abriu-se.

Sernine entrou.

Sem a menor pressa, tomou a folha de papel onde o jovem assinara e leu:

"Cansado da vida, doente, sem dinheiro, sem esperança, eu me mato. Não culpem ninguém pela minha morte, 30 de abril
Gérard Baupré."

Pôs a folha na mesa, bem à vista, aproximou-se da cadeira e levantou-a, colocando-a sob os pés do jovem. Trepou na mesa e, apertando o corpo de encontro a si, levantou-o, alargou o nó corredio, e soltou a cabeça.

O corpo amoleceu em seus braços. Deixou que ele caísse sobre a mesa e, descendo, estendeu-o na cama.

Depois, sempre com a mesma frieza, entreabriu a porta de saída:

— Vocês três estão aí? — murmurou.

Perto dele, no sopé da escada de madeira, alguém respondeu:

— Estamos aqui. Podemos levar nosso fardo?

— Venham!

Tomou o castiçal e iluminou o caminho. Trabalhosamente os três homens subiram a escada carregando o saco dentro do qual estava amarrado o corpo.

— Ponham-no aqui — disse ele apontando a mesa. Com a ajuda de um canivete cortou os cordões que envolviam o saco. Um pano branco apareceu e ele desenrolou-o.

Dentro estava um cadáver, o cadáver de Pierre Leduc.

— Pobre Pierre Leduc — murmurou Sernine —, não saberás nunca o que perdeste morrendo tão jovem! Eu poderia levar-te longe, bem longe, meu bom homem. Afinal, temos que dispensar os teus serviços... Vamos Philippe, suba na mesa e você, Octave, na cadeira. Levantem o corpo e ponham sua cabeça no laço.

Dois minutos mais tarde o corpo de Pierre Leduc balançava na ponta da corda.

— Perfeito, e até que não é difícil uma substituição de cadáveres. Agora podem sair. Amanhã, doutor, o senhor passará aqui pela manhã e constatará o suicídio de Gérard Baupré, entenda bem, Gérard Baupré... — eis sua carta de adeus; chamará um médico legista e o comissário e se arranjará para que nem um nem outro reparem que o falecido tem um dedo amputado e uma cicatriz na face...

— É fácil.

— Providenciará para que o processo verbal seja logo escrito de acordo com os seus informes.

— É fácil.

— Finalmente, evite que vá ao necrotério e consiga uma licença para o enterro imediato.

— Isto é menos fácil.

— Tente. Examinou este? Ele apontava o jovem inerte na cama.

— Já — disse o doutor. — A respiração está se normalizando. Mas ainda há risco... a carótida pode...

— Quem não arrisca... Em quanto tempo ele voltará a si?

— Daqui a alguns minutos.

— Bem. Ah! Não se vá ainda, doutor. Espere lá embaixo. Seu trabalho ainda não terminou esta noite.

Ficando só, o príncipe acendeu um cigarro e fumou tranquilamente, lançando para o teto pequenos anéis de fumaça azulada.

Com um suspiro deixou o devaneio de lado. Aproximou-se da cama. O jovem começava a se agitar e seu tórax se levantava e abaixava com violência, como uma pessoa dormindo, vítima de um pesadelo.

Levou as mãos à garganta como se sentisse alguma dor, e esse gesto fez com que se levantasse de um salto, aterrorizado, trêmulo...

Viu então Sernine à sua frente.

— O senhor! — murmurou sem compreender. — O senhor!...

Contemplou-o com um olhar estupidificado, como se estivesse vendo um fantasma.

Novamente pôs a mão na garganta, apalpou o pescoço, a nuca... E subitamente deu um grito rouco, enquanto uma espécie de loucura fazia com que seus olhos se esbugalhassem, arrepiava os cabelos, e sacudia-o como se fosse uma folha.

O príncipe afastara-se um pouco e ele via, na ponta da corda, o enforcado! Recuou até a parede. Esse homem, esse enforcado era ele, ele mesmo! Estava morto e podia se ver morto! Seria um horrível sonho que surgia após a morte?... Alucinação daqueles que já se foram, mas cujo cérebro palpita ainda com um resto de vida?...

Seus braços bateram no vazio. Durante um momento pareceu defender- -se contra a visão terrível. Depois, cansado, extenuado, vencido mais uma vez, desmaiou.

— Maravilhoso — zombou o príncipe. — Uma natureza sensível... impressionável... Atualmente o cérebro não está funcionando bem... Vamos, o momento é propício... Mas se eu não resolvo já esse assunto será tarde demais...

Abriu a porta que separava os dois cômodos, voltou à cama, levantou o jovem e o transportou para a cama do outro quarto.

Depois molhou as têmporas dele com um pouco de água fresca e fez com que cheirasse um frasco de sais.

O desmaio desta vez não durou muito.

Timidamente, Gérard entreabriu as pálpebras e levantou os olhos para o teto. A visão terminara.

Mas a disposição dos móveis, o lugar da mesa e da lareira, certos detalhes a mais o surpreendiam — e além disso a lembrança do seu ato... a dor que sentia na garganta...

Perguntou ao príncipe:

— Tive um sonho, não?

— Não.

— Como não?

De repente, recordando:

— Ah! tem razão, eu me lembro... eu quis morrer... e até...

Debruçou-se ansiosamente:

— Mas o resto? A visão?

— Que visão?

— O homem... a corda... Isso foi um sonho?

— Não — afirmou Sernine —, foi também realidade...

— Que está dizendo? Que está dizendo? Oh! não... não... eu lhe peço... acorde-me se estou dormindo... ou então deixe que eu morra!... Eu estou morto, não estou? E é o pesadelo de um cadáver... Ah! sinto que minha razão me foge... Eu lhe peço...

Sernine colocou a mão suavemente nos cabelos do rapaz e inclinou-se em sua direção:

— Escute-me... escute-me bem e procure compreender. Você está vivo. Sua substância física e seu pensamento estão bem vivos. Mas Gérard Baupré está morto. Você me compreende? O ser social que havia em Gérard Baupré não existe mais. Você o suprimiu. Amanhã, nos registros de estado civil, adiante do seu nome escreverão: falecido. E a seguir, a data de sua morte.

— Mentira! — balbuciou o jovem aterrorizado —, mentira! Pois se eu estou aqui, Gérard Baupré!...

— Você não é mais Gérard Baupré — declarou Sernine.

E apontando a porta aberta:

— Gérard Baupré está lá, no quarto vizinho. Quer vê-lo? Está suspenso a um gancho que você prendeu no teto. Na mesa se encontra a carta na qual você declarou sua morte. Tudo está certo, regular, definitivo. Não devemos voltar mais a este assunto, a este fato irrevogável e brutal: Gérard Baupré não existe mais! O jovem escutava fora de si. Mais calmo, agora que os fatos tomavam um significado menos trágico, começava a compreender.

— E então?

— Então, conversemos...

— Sim... sim... conversemos...

— Um cigarro? — ofereceu o príncipe. — Aceita? Ah! Vejo que você se prende à vida. Tanto melhor, assim nos entenderemos, e o mais rápido possível.

Acendeu o cigarro do rapaz, o seu, e logo a seguir, com um tom seco, explicou:

— Falecido Gérard Baupré, você estava cansado de viver, doente, sem dinheiro, sem esperanças... Quer, portanto, ser saudável, rico, poderoso?

— Não entendo.

— É bem simples. O acaso colocou-o no meu caminho; você é jovem, um belo rapaz, inteligente e — seu ato de desespero prova isto — sobretudo honesto. São qualidades que raramente encontramos reunidas. Eu as aprecio... e as tomo a meu serviço.

— Elas não estão à venda.

— Imbecil! Quem fala em comprar ou vender? Acalme sua consciência. É uma joia preciosa demais para que eu a tome.

— Então o que quer de mim?

— Sua vida! E apontando para a garganta ainda dolorida do jovem:

— Sua vida! A vida que você não soube empregar! Sua vida que você estragou, perdeu, destruiu e que pretendo refazer, mas refazer seguindo um ideal de beleza, grandeza e nobreza que lhe dará vertigens, meu pequeno, se você pudesse ver o que se passa dentro de meus pensamentos mais secretos...

Tomara com as duas mãos a cabeça de Gérard e prosseguia com uma ênfase irônica:

— Você está livre! Nada lhe impede! Você não tem mais que carregar o peso de um nome! Você apagou esse número que a sociedade carimbou em você com um ferro em brasa nas costas! Você está livre! Neste mundo de escravos, onde cada um leva seu rótulo você pode ir ou vir invisível como se possuísse o anel de Gyges, que o torna invisível, ou escolher seu próprio rótulo, que lhe agrade mais! Compreende o magnífico tesouro que você representa para um artista, se você o desejar? Uma vida virgem, completamente nova! Sua vida é a cera que poderá modelar à sua vontade, segundo suas fantasias, ou os conselhos de sua razão.

O jovem teve um gesto de cansaço.

— Eh! que quer que eu faça desse tesouro? Que fiz eu até agora? Nada.

— Deixe comigo.

— Que poderá fazer? — Tudo. Se você não é um artista, eu o sou! E entusiasta, indomável, inesgotável, esfuziante. Se não você sente o fogo sagrado, eu sinto! Onde você falhou, eu vencerei! Dê-me sua vida!

— Palavras, promessas!... — exclamou o jovem cujo rosto se animava. — Sonhos vagos! Sei bem o que eles valem!... Conheço bem a minha fraqueza, meu desânimo, meus esforços que sempre vão por água abaixo, toda a minha miséria. Para recomeçar minha vida eu teria que ter uma força de vontade que não tenho...

— Tenho a minha.

— Amigos...

— Você os terá!

— Recursos...

— Eu lhe darei recursos, e que recursos! Você não terá um trabalho maior do que apanhá-los com a mão, como se a metesse em um cofre mágico.

— Mas quem é o senhor, afinal? — exclamou o jovem espantado.

— O Mestre... aquele que quer e que pode... aquele que age... não há limites para a minha vontade, como também não os há para o meu poder. Sou mais rico do que o mais rico, porque sua fortuna me pertence... Sou mais forte do que os mais fortes, pois suas forças estarão a meu serviço...

Segurou-lhe novamente a cabeça e olhou-o penetrantemente:

— Quero que você seja rico, também... que seja forte... é a felicidade que lhe ofereço... é a alegria de viver... e paz para seu cérebro de poeta... e a glória também. Aceita ou não?

— Sim... aceito... — murmurou Gérard dominado e deslumbrado. — Que preciso fazer?

— Nada.

— Entretanto...

— Nada, eu lhe digo. Todo o arcabouço do meu projeto depende de você, mas não fará nada. Você não terá nenhum papel ativo. Por enquanto é apenas um figurante... nem isso, um simples peão que se move.

— O que farei?

— Nada... versos! Viverá à sua maneira. Terá dinheiro. Gozará a vida. Eu nem me ocuparei de você. Repito: você não terá nenhum papel na minha aventura.

— E quem serei eu?

Sernine estendeu o braço apontando o quarto ao lado:

— Você estará no lugar daquele. Você será ele. Gérard estremeceu de revolta e aborrecimento.

— Oh! Não! este está morto... e depois... é um crime... não, eu quero uma vida nova para mim, imaginada por mim... um nome desconhecido...

— Este, já lhe disse, você será este! — exclamou Sernine com energia e autoridade. — Você será ele e não outro! Este, porque seu destino é magnífico, porque seu nome é ilustre e ele lhe deixa uma herança dez vezes secular de nobreza e orgulho.

— É um crime — gemeu Baupré com voz desfalecida...

— Você será ele — gritou Sernine com violência inusitada. — Ou será este ou, caso contrário, voltará a ser Baupré, e quanto a Baupré eu tenho o direito de vida ou de morte. Escolha.

Tirou seu revólver e apontou-o para o jovem.

— Escolha! — repetiu.

A expressão do seu rosto estava implacável. Gérard teve medo e estendeu-se na cama soluçando.

— Quero viver!

— Quer mesmo, firmemente, decididamente?

— Sim, mil vezes sim! Depois da coisa horrível que tentei, a morte me assusta... tudo em lugar da morte!... Tudo!... o sofrimento... a fome... a doença... todas as torturas... todas as infâmias... até o crime, se necessário for... mas nunca a morte! Tremeu de febre e aflição, como se a grande inimiga rondasse ainda em sua volta e ele se sentisse impotente para fugir ao abraço de suas garras.

O príncipe redobrou de esforços e numa voz ardente, mantendo-o firmemente, disse:

— Não peço nada impossível, nada de mal... Se houver alguma coisa, sou eu o responsável... Não, nada de crime... um pouco de sofrimento no máximo... um pouco do seu sangue correrá. Mas que valor pode ter isso, comparado ao medo de morrer?

— A dor me é indiferente!

— Então rápido! — gritou Sernine. — Rápido! Dez segundos de dor e será tudo... dez segundos e a vida de outro será sua... lhe pertencerá...

Ele o tinha segurado e, curvado sobre uma cadeira, prendeu-lhe a mão espalmada sobre a mesa, os dedos bem separados. Rapidamente tirou do bolso uma faca e apoiou o gume no dedo mínimo, entre a primeira e a segunda junta, ordenando:

— Bata! Bata você mesmo! Um golpe apenas bastará! Tomara a mão direita do rapaz e procurava levá-la a abater-se sobre a outra, como um martelo.

Gérard contorcia-se, cheio de horror. Compreendera bem.

— Nunca! — gaguejava ele. — Nunca!

— Bata! Um único golpe e pronto, um só golpe e será igual a este homem, ninguém o reconhecerá.

— Seu nome...

— Bata antes...

— Nunca! Eu vos peço. Oh! Que suplício... mais tarde...

— Agora... eu quero... é preciso...

— Mas não... eu não posso...

— Bata logo, imbecil! É a fortuna, a glória, o amor.

Gérard levantou o punho num arranco...

— O amor — disse ele — sim... por ele, sim...

— Você amará e será amado — insistiu Sernine. — Sua noiva o espera.

Eu a escolhi. É mais pura do que as mais puras, mais bela do que as mais belas. Mas é preciso conquistá-la. Bata! O braço se enrijeceu para o movimento fatal, mas o instinto foi mais forte. Uma energia sobre-humana apossou-se do jovem.

Bruscamente livrou-se do abraço de Sernine que o segurava e fugiu.

Correu como um louco para o outro quarto. Um urro de terror escapou-lhe à vista do abominável espetáculo e voltou para cair, junto à mesa, de joelhos, diante de Sernine.

— Bata! — disse este estendendo novamente os cinco dedos e colocando no mesmo ponto o gume da faca.

Foi mecânico. Com um gesto de autômato, os olhos espantados, a face lívida, o jovem levantou o punho e bateu.

— Ah! — fez ele num gemido de dor.

O pequeno pedaço de carne saltara. O sangue corria. Pela terceira vez ele desmaiara.

Sernine olhou-o alguns segundos e murmurou suavemente:

— Pobre criança! Vá, eu lhe devolverei isto cem vezes mais. Pago sempre regiamente.

Desceu e encontrou o doutor embaixo:

— Acabou... É sua vez... Suba e faça-lhe uma incisão na face direita, semelhante àquela de Pierre Leduc. É preciso que as duas cicatrizes sejam idênticas. Dentro de uma hora venho buscá-lo.

— Onde vai?

— Tomar um pouco de ar. Tenho tudo revirado dentro de mim.

Do lado de fora respirou demoradamente, depois acendeu um cigarro.

— Foi um bom dia — murmurou. — Um pouco sobrecarregado, um pouco cansativo, mas fecundo. Eis-me amigo de Dolores Kesselbach. Eis-me amigo de Geneviève. Fabriquei um novo Pierre Leduc, bem apresentável e inteiramente devotado a mim. Finalmente encontrei para Geneviève um marido como não se encontra por aí. Por enquanto, minha tarefa está acabada. Basta apenas recolher o fruto dos meus esforços. É a sua vez de trabalhar, Sr. Lenormand. Eu estou pronto.

E acrescentou, pensando no desgraçado mutilado a quem deslumbrara com suas promessas:

— Apenas... há sempre um apenas... ignoro tudo sobre o que era e quem era Pierre Leduc de quem transferi generosamente a identidade a esse bom rapaz. E isso é aborrecido... Porque, finalmente, não há nada que me prove que Pierre Leduc não fosse filho de um simples açougueiro.

Capítulo 5

A VOLTA DO SR. LENORMAND

Na manhã do dia 31 de maio todos os jornais lembravam que Lupin, numa carta dirigida ao Sr. Lenormand, anunciara para essa data a fuga do contínuo Jerome. E um deles resumiu a situação, tal como então se encontrava, em termos muito hábeis:

"A terrível carnificina do Palace Hotel aconteceu na data de 17 de abril. O que descobriram desde então? Nada.

Existiam três indícios: a cigarreira, as iniciais L. M. e o pacote de roupas abandonado na portaria do hotel. Para que serviram essas pistas?

Para nada.

Ao que parece suspeitam de um dos hóspedes que morava no primeiro andar, e cujo desaparecimento parecia suspeito. Ele foi encontrado? Conseguiram identificá-lo?

Não.

Portanto, o drama persiste tão misterioso como na primeira hora, numa densa escuridão.

MAURICE LEBLANC

Para completar esse quadro, asseguram-nos que houve uma desavença entre o chefe de polícia e seu subordinado, o Sr. Lenormand, e que este, menos apoiado pelo presidente do Conselho, pedira demissão há vários dias. O caso Kesselbach estaria sendo dirigido pelo subchefe, Sr. Weber, inimigo pessoal do Sr. Lenormand.

Resumindo, é a desordem, é a anarquia.

Do outro lado, temos Lupin, ou seja, o método, a energia, o espírito de luta.

Nossa conclusão? Ela será breve. Lupin livrará hoje seu cúmplice, dia 31 de maio, como ele previu."

Esta conclusão, a mesma em todos os jornais, foi também unânime do grande público. A ameaça provavelmente atingiu altos escalões, pois na ausência do Sr. Lenormand dado como doente, o chefe de polícia e o subchefe da Sûreté, Sr. Weber, teriam tomado medidas mais rigorosas tanto no Palácio de Justiça como na prisão da Santé, onde se encontrava detido o acusado.

Não ousaram suspender nesse dia os interrogatórios diários do Sr. Formerie, porém da prisão ao bulevar do Palácio da Justiça uma verdadeira mobilização vigiava todas as ruas do percurso.

Para espanto geral, passou o dia 31 de maio e a fuga não se concretizou. Ocorreu um princípio de operação ou tentativa, que se traduziu numa obstrução de bondes, ônibus e caminhões, quando da passagem do carro da polícia e a inexplicável quebra de uma das rodas desse carro. Mas não passou daí.

O público estava quase frustrado e a polícia triunfava espalhafatosamente. No dia seguinte, sábado, um boato começou a espalhar-se no Palácio de Justiça e pouco depois chegava às redações dos jornais: o contínuo Jerome desaparecera.

Seria possível? As edições especiais confirmavam a notícia, mas negavam a aceitá-la. Mas às seis horas, uma nota publicada pelo *Dépêche du Soir* a oficializou:

"Recebemos a seguinte comunicação assinada por Arsène Lupin. O papel devidamente timbrado em que foi escrita a nota, igual à circular que Lupin dirigiu ultimamente à imprensa, não nos deixa dúvidas quanto à autenticidade do documento.

Senhor Diretor: Desculpe-me junto ao público por não ter mantido minha palavra ontem. No último instante reparei que o 31 de maio caía numa sexta-feira! Como poderia eu, numa sexta-feira, libertar meu amigo? Pareceu-me que não devia assumir uma tão grande responsabilidade.

Desculpe-me também por não dar aqui, com a minha habitual franqueza, as explicações sobre a forma como foi efetuado esse pequeno acontecimento. Meu processo é de tal forma engenhoso e tão simples que tenho receio, revelando-o, que todos os malfeitores se inspirem no mesmo. Que surpresa terão no dia em que puder falar! É apenas isso? — perguntarão. Nada demais, mas é preciso pensar antes do que os outros.

Peço-lhe que aceite meus agradecimentos, senhor Diretor...
Assinado: Arsène Lupin."

Depois de uma hora, Lenormand recebia um telefonema: Valenglay, o presidente do Conselho, convocava-o ao Ministério do Interior.

— Que boa aparência você está, meu caro Lenormand! E eu pensei que você estivesse doente e por isso não quis incomodá-lo!

— Não estou doente, senhor presidente.

— Então essa ausência, esse afastamento, era por um simples mau humor!... Sempre com esse mesmo gênio ruim.

— Que eu tenho um gênio ruim, senhor presidente, eu admito... mas não tenho mau humor.

— Mas enquanto você estava em casa Lupin aproveitou para dar a chave da cadeia a seus amigos...

— Poderia eu impedi-lo? — Como! a astúcia de Lupin é rude. Segundo seu procedimento habitual, anunciou a data da fuga, todo mundo acreditou, forjou uma tentativa, e não houve fuga; no dia seguinte, quando ninguém mais pensava nisso, *pfft*, os pássaros voaram.

— Senhor presidente — disse gravemente o chefe da Sûreté —, Lupin dispõe de tais meios que não estamos à altura de impedir suas ações ou o que ele decidir. A fuga era certa, matemática. Preferi ceder... e deixar o ridículo para os outros.

Valenglay deu uma risada:

— Realmente, o chefe de polícia, na situação atual, e o Sr. Weber não devem estar muito alegres... Mas afinal, poderia explicar-me, Lenormand?

— Tudo o que sei, senhor presidente, é que a fuga se deu no Palácio de Justiça. O acusado foi levado num carro de polícia e conduzido ao gabinete do Sr. Formerie... mas ele não saiu do Palácio de Justiça. E agora ninguém sabe o que houve com ele.

— É espantoso.

— Espantoso.

— E não descobriram nada?

— Sim. O corredor interno que acompanha as salas de estudo estava lotado com uma multidão absolutamente incomum de réus, guardas, advogados, oficiais de justiça, e descobrimos que todas essas pessoas haviam recebido de uma falsa intimação para comparecer ao mesmo tempo. Por outro lado, nenhum dos juízes de instrução que supostamente os convocaram compareceu ao seu gabinete naquele dia, e isso por falsa intimação do Ministério Público, mandando-os para todos os cantos de Paris... e dos subúrbios.

— E isto é tudo?

— Não. Foram vistos dois guardas municipais e um acusado atravessando o pátio. Do lado de fora um táxi estava à espera e nele subiram os três.

— E sua hipótese, Lenormand? Sua opinião?

— Minha hipótese, senhor presidente, é que os dois guardas municipais eram cúmplices que se aproveitaram da desordem, tomaram o lugar dos guardas verdadeiros. Essa fuga só foi possível graças a circunstâncias tão especiais e um conjunto de fatos tão estranhos que devemos admitir como certas algumas cumplicidades das mais inadmissíveis. No Palácio, aliás, Lupin tem contatos que estão fora de nossa suposição. Tem na chefatura de polícia, tem à minha volta. É uma organização formidável, um serviço de segurança mil vezes mais hábil, mais audacioso, mais maleável e flexível do que o que dirijo.

— E você aguenta isso, Lenormand?

— Não.

— Então por que sua inércia desde o princípio deste caso? Que fez você contra Lupin?

— Eu me preparei para a luta.

— Perfeito! E enquanto você preparava, ele agia.

— Eu também.

— E você sabe alguma coisa?

— Muito.

— O quê? Diga logo.

Lenormand, apoiado em sua bengala, deu um pequeno passeio pensativo por todo cômodo. Depois sentou-se diante de Valenglay, alisou com as pontas dos dedos os enfeites de seu sobretudo oliva, ajeitou no nariz os óculos com aro prateado e, finalmente, disse de forma bem clara:

— Senhor presidente, tenho na mão três trunfos. Primeiro, sei o nome sob o qual se esconde atualmente Arsène Lupin, o nome com o qual ele mora no bulevar Haussmann, recebe diariamente seus colaboradores, reconstitui e dirige seu bando.

— Mas então, que diabo! Por que não o prende de uma vez?

— Tive essas informações há pouco. Além disso, o príncipe, vamos chamá-lo de Príncipe das Três Estrelas, desapareceu. Está no exterior, tratando de outros negócios.

— E se ele não voltar?

— A maneira pela qual se empenhou a fundo no caso Kesselbach exige que ele reapareça e com o mesmo nome.

— Entretanto...

— Senhor presidente, chego ao segundo trunfo. Terminei descobrindo Pierre Leduc.

— Vamos!

— Ou melhor, foi Lupin quem o descobriu e foi Lupin quem o instalou numa pequena casa nos arredores de Paris.

— Caramba! Mas como soube?...

— Oh! Foi simples. Lupin colocou perto de Pierre Leduc, como vigilantes e defensores eventuais, dois de seus cúmplices. Ora, esses cúmplices são agentes meus, dois irmãos que eu emprego secretamente, e que o entregarão na primeira ocasião propícia que se apresentar.

— Muito bom! Muito bom! Assim sendo...

— Assim sendo, como Pierre Leduc é, podemos dizer, o ponto central em torno do qual convergem todos os esforços dos que estão à procura do famoso segredo de Kesselbach... por Pierre Leduc eu apanharei um dia ou outro: Primeiro, o autor do triplo assassinato, uma vez que esse miserável tomou o lugar do Sr. Kesselbach na realização do seu grande projeto, até hoje desconhecido e, como o Sr. Kesselbach precisava encontrar Pierre Leduc para realizar tal projeto; Segundo: apanharei Arsène Lupin, uma vez que Arsène Lupin está procurando a mesma coisa.

— Perfeitamente. Pierre Leduc é a isca que você tem para pegar o inimigo.

— E está mordendo a isca, senhor presidente. Acabo de receber um aviso de que viram um indivíduo suspeito rondando a pequena casa onde mora Pierre Leduc, com dois seguranças. Dentro de quatro horas estarei no local.

— E o terceiro trunfo, Lenormand?

— Senhor presidente, chegou ontem ao endereço do Sr. Kesselbach uma carta que eu interceptei...

— Interceptou... você está indo bem.

—... abri e guardei comigo. Está aqui. Data de dois meses. Provém da Cidade do Cabo, e diz o seguinte:

"Meu caro Rudolf, estarei em Paris em 19 de junho e ainda tão infeliz como quando me encontrou e socorreu. Mas tenho muita esperança em relação a Pierre Leduc que lhe indiquei. Que história estranha! Já o encontrou novamente? Em que pé estão as coisas? Tenho pressa em saber de tudo.

Assinado: Seu fiel Steinweg."

— Hoje é dia 1º de julho — continuou Lenormand — designei um dos meus agentes para descobrir esse Steinweg. Não tenho dúvida quanto ao bom êxito.

— Nem eu duvido mais, e peço todas as desculpas, meu caro Lenormand, com a minha humilde confissão: eu estava a ponto de abandoná-lo... completamente! Amanhã espero o chefe de polícia e o Sr. Weber.

— Eu já sabia, senhor presidente.

— Impossível!

— Acha que se eu não soubesse teria me incomodado? De um lado eu lhe dei as armadilhas onde o assassino acabará caindo: Pierre Leduc ou Steinweg me levarão a ele. Do outro lado, estou em volta de Lupin. Dois de seus capangas trabalham para mim, e eu os tenho na conta dos mais devotados colaboradores. Além disso, ele mesmo trabalha para mim, já que persegue, como eu, o autor do triplo assassinato. Apenas espera me enganar e sou eu quem o engano. Dessa forma eu terei êxito, mas com uma condição.

— Qual?

— Que eu tenha rédeas livres segundo as necessidades do momento, sem me importar que o público se impaciente ou que chefes façam intrigas contra mim.

— Combinado.

— Nesse caso, senhor presidente, daqui a alguns dias serei o vencedor... ou estarei morto.

* * *

Em Saint-Cloud. Uma pequena vila, situada em um dos pontos mais altos do planalto, ao longo de um caminho pouco frequentado. São onze horas da noite. Lenormand deixara seu automóvel em Saint-Cloud e, seguindo o caminho com cuidado, aproximava-se. Um vulto destacou-se.

— É você, Gourel?

— Sou, chefe.

— Preveniu os irmãos Doudeville de minha chegada?

— Preveni. Seu quarto está pronto e poderá deitar-se e dormir... A menos que tentem carregar Pierre Leduc esta noite, o que não me espantará, tendo em vista o procedimento do indivíduo que os Doudeville viram.

Percorreram o jardim até o outro lado, entraram silenciosamente e subiram ao primeiro andar. Os dois irmãos, Jean e Jacques Doudeville, estavam ali.

— Nenhuma notícia do príncipe Sernine? — perguntou-lhes.

— Nenhuma, chefe.

— E Pierre Leduc?

— Fica deitado o dia todo em seu quarto no térreo ou no jardim. Nunca sobe para nos ver.

— Está melhor?

— Bem melhor. O repouso está lhe fazendo bem a olhos vistos.

— Ele é muito devotado a Lupin?

— Ao príncipe Sernine seria mais correto dizer, pois não sabe que os dois são a mesma pessoa. Pelo menos assim parece, pois não sabemos nada por seu intermédio. Não fala nunca. Ah! é uma figura estranha. Apenas uma pessoa parece animá-lo, fazê-lo falar e até mesmo rir. É uma moça de Garches, a quem o príncipe o apresentou, Geneviève Ernemont. Ela já veio três vezes. Ainda hoje...

Acrescentou brincando:

— Creio que estão se envolvendo um pouco... Mais ou menos como o príncipe Sernine e a Sra. Kesselbach... Parece que ela lança uns olhares carinhosos para esse sabido Lupin!...

Lenormand não respondeu. Mas todos esses detalhes a que ele parecia não dar maior importância ficavam registrados em sua memória para o momento em que fosse preciso tirar deles alguma conclusão lógica.

Acendeu um charuto, mascou, sem fumar, acendeu-o novamente e jogou-o fora. Fez mais duas ou três perguntas e atirou-se na cama completamente vestido.

— Se acontecer alguma coisa, me chamem... Caso contrário, deixem-me dormir. Vamos, cada um a seu posto.

Os outros saíram. Uma hora passou, duas horas... De repente Lenormand sentiu que o tocavam e Gourel lhe disse:

— De pé, chefe, abriram a cancela.

— Um homem, dois homens?

— Vi apenas um... A lua apareceu nesse instante e ele procurou esconder-se numa moita.

— E os irmãos Doudeville?

— Eu os mandei para fora, por trás. Assim cortarão sua fuga quando chegar o momento.

Gourel segurou a mão do Sr. Lenormand, conduziu-o até embaixo e depois levou-o a um cômodo escuro.

— Não se mexa, chefe, estamos no banheiro de Pierre Leduc. Abro a porta da alcova onde ele dorme... ele tomou seu Veronal como faz todas as noites... nada o acordará. Venha...

— O esconderijo é bom?...

— São os cortinados da cama... Daqui poderá ver a janela e todo o lado do quarto que vai da cama à janela.

A janela estava completamente aberta e entrava uma difusa claridade, mais precisa quando a lua ficava fora das nuvens.

Os dois homens não deixavam de olhar a quadrado vazio da abertura da janela, certos de que o que fosse eventualmente acontecer seria por ali.

Um leve ruído, um estalido...

— Escala as latadas de plantas — sussurrou Gourel.

— É alto? — Dois metros... dois metros e cinquenta... Os estalidos se tornaram mais nítidos.

— Vá embora, Gourel, — murmurou Lenormand —, procure os Doudeville... traga-os para junto ao muro, barrando a saída a qualquer um que desça por aqui.

Gourel se foi. No mesmo momento uma cabeça apareceu na linha da janela, depois uma sombra transpôs o balcão. Lenormand distinguiu um homem esbelto, de tamanho acima do médio, vestido com uma roupa de cor escura e sem chapéu.

O homem voltou-se e, debruçado na sacada, olhou alguns segundos o vazio atrás de si como para assegurar-se que nenhum perigo o ameaçava. Depois curvou-se e estendeu-se no chão. Parecia imóvel. Mas dentro de um momento Lenormand notou que a mancha, a sombra negra que ele formava na escuridão avançava, se aproximava.

Chegou ao lado da cama.

Ele teve a impressão de que ouvia a respiração desse ser e até mesmo que percebia seus olhos brilhantes, agudos, perfurando as trevas como raios de fogo e que mesmo naquela escuridão viam através das trevas.

Pierre Leduc deu um profundo suspiro e voltou-se na cama.

Novamente o silêncio.

O homem deslizara em direção à cama, em movimentos quase invisíveis, e sua sombria silhueta se destacava na brancura dos lençóis estendidos.

Se o Sr. Lenormand esticasse o braço poderia tocá-lo. Desta vez distinguiu claramente a respiração ofegante, diferente, que alternava com a daquele que dormia, e chegou mesmo a ter a ilusão de ouvir também um coração que pulsava.

De repente, um feixe de luz... O homem acendera a lanterna elétrica e Pierre Leduc aparecia iluminado em pleno rosto. Mas o homem continuava na sombra e o Sr. Lenormand não conseguiu ver sua figura.

Viu apenas alguma coisa que brilhava no campo iluminado e estremeceu. Era a lâmina de uma faca, afilada, mais um estilete do que um punhal, e que pareceu-lhe idêntico ao que encontrara junto ao cadáver de Chapman, o secretário do Sr. Kesselbach.

Com um tremendo esforço de vontade conseguiu controlar-se para não saltar sobre o homem. Primeiro queria saber o que ele queria fazer...

A mão levantou-se. Iria atacar? Lenormand calculou a distância para impedir o golpe. Mas não, não era um gesto de assassino e sim um gesto de defesa.

Se Pierre Leduc se mexesse, se tentasse chamar alguém, a mão se abaixaria. E o homem inclinou-se sobre aquele que dormia, como se examinasse alguma coisa.

— A face direita — pensou Lenormand —, a cicatriz da face direita... ele quer ter a certeza de que é mesmo Pierre Leduc.

O homem se virara um pouco, de forma que só se viam as suas costas. Mas as roupas, o casaco. Estavam tão próximos que roçavam as cortinas atrás das quais se escondia o Sr. Lenormand.

— Um movimento que seja de sua parte — pensou ele com certa inquietação — e o agarro.

Mas o homem não se mexia, absorto em seu exame.

Finalmente, depois de passar o punhal para a mão que segurava a lanterna, levantou a coberta aos poucos, devagar, até que chegou ao braço esquerdo do homem, que dormia, descobrindo sua mão.

O feixe de luz iluminou essa mão. Quatro dedos estavam estendidos. O quinto era cortado na segunda falange.

Pela segunda vez Pierre Leduc moveu-se. Logo a luz apagou-se e durante um instante o homem ficou ao lado do leito, imóvel, estático, inerte. Iria atacar? Lenormand sentiu a angústia de um crime que poderia impedir com toda a facilidade, mas que só desejava evitar no último momento.

Um demorado, bem demorado silêncio. Subitamente teve a visão, aliás inexata, de um braço que se erguia. Instintivamente mexeu-se, estendendo a mão sobre aquele que dormia. Com esse gesto, tocou no homem.

Um grito abafado. O indivíduo golpeou no vazio, defendeu-se atabalhoadamente e depois fugiu pela janela. Mas o Sr. Lenormand atirara-se atrás dele e o abraçara pelas costas, mantendo-o com os dois braços.

De repente sentiu que ele cedia e que, sendo mais fraco, fugia à luta, procurando esgueirar-se do abraço. Com todas as suas forças apertou-o contra si, fez com que se dobrasse, e estendeu-o no chão.

— Ah! Peguei... Peguei! — murmurou triunfante.

Sentia uma estranha embriaguez do sucesso por ter conseguido prender em seu irresistível abraço esse terrível criminoso, esse monstro indomável. Ele se sentia vivo e vibrante, raivoso e desesperado, suas duas existências e respirações se confundindo.

— Quem é você? — disse ele. — Quem é você... é preciso que fale.

E apertava o corpo do inimigo com uma energia crescente pois tinha a impressão que esse corpo diminuía entre seus braços, que se desvanecia.

Apertava mais e mais...

De repente tremeu dos pés à cabeça. Sentira uma pequena picada na garganta... Exasperado, apertou ainda mais e a dor aumentou. Notou que o homem conseguira torcer o braço, deslizar a mão até seu peito e erguer o punhal. O braço, é claro, estava imobilizado, mas quanto mais o Sr. Lenormand apertava o abraço, mais a ponta do punhal penetrava em sua própria carne.

Virou um pouco a cabeça tentando escapar a essa ameaça: a ponta do punhal seguiu o movimento e o ferimento aumentou.

Não se mexeu mais, assaltado pela lembrança dos três crimes e por tudo que isso representava de assustador, de atroz, de fatídico, essa mesma pequena ponta de aço, que, como uma agulha, penetrava em sua pele também implacavelmente.

De um salto, largou sua presa e atirou-se para trás. Mas tentou imediatamente retomar a ofensiva. Era tarde.

O homem transpôs a janela de um salto.

— Atenção, Gourel! — gritou ele sabendo que Gourel lá estava, pronto a segurar o fugitivo.

Debruçou-se.

Um ruído de seixos pisados... uma sombra entre duas árvores... o bater de uma cancela... E nenhum outro ruído, outro som... Nenhum movimento, nenhuma interrupção...

Sem se importar com Pierre Leduc, chamou:

— Gourel!... Doudeville!

Nenhuma resposta. Apenas o grande silêncio noturno do campo.

Contra sua vontade pensava no triplo assassinato, no estilete de aço. Mas não, era impossível, o homem não tivera tempo de ferir, não tinha nem mesmo necessidade, uma vez que encontrara o caminho livre.

Por sua vez saltou e, acendendo sua lanterna, reconheceu Gourel estendido no chão.

— Inferno! — praguejou ele. — Se estiver morto pagarão caro!

Mas Gourel estava vivo, apenas tonto e alguns momentos depois voltou a si e grunhiu:

— Um soco, chefe, um simples soco em pleno peito. Mas quem é esse tratante?

— Então eles eram dois? Sim, um pequeno que subiu e depois um outro que me surpreendeu enquanto eu vigiava.

— E os Doudeville?

— Não os vi.

Os dois irmãos foram encontrados, Jacques perto da cancela, ensanguentado, e o outro um pouco mais adiante, respirando com dificuldade, com o peito afundado.

— Que é isso? O que é que houve? — perguntou o Sr. Lenormand.

Jacques contou que seu irmão e ele enfrentaram um indivíduo que os pôs fora de combate antes que pudessem se defender.

— Estava só? — Não, quando passou por nós estava acompanhado por um camarada menor do que ele.

— Reconheceu o que o atacou?

— Pela compleição, pareceu-me o inglês do Palace Hotel, aquele que deixou o hotel e do qual perdemos a pista.

— O major?

— Sim, o major Parbury.

✳ ✳ ✳

Depois de um instante de reflexão, o Sr. Lenormand falou:

— Não há mais nenhuma dúvida. São dois os envolvidos no caso Kesselbach: o homem do punhal, que matou, e seu cúmplice, o major.

— E a opinião do príncipe Sernine — murmurou Jacques Doudeville.

— E esta noite — continuou o chefe da Sûreté — são ainda eles, os mesmos. Acrescentou:

— Tanto melhor. Temos cem vezes mais chances de prender dois culpados do que apenas um.

Lenormand tratou de seus homens, fez com que fossem para a cama, e procurou se os assaltantes haviam perdido alguma coisa ou deixado alguma pista. Não encontrando nada, deitou-se.

Pela manhã, Gourel e os Doudeville melhores dos seus ferimentos, ordenou que os dois irmãos dessem uma busca pelos arredores e partiu com Gourel para Paris a fim de tratar do seu expediente e dar algumas ordens.

Almoçou em seu gabinete. Às duas horas teve uma boa notícia. Um dos seus melhores agentes, Dieuzy, apanhara, ao descer de um trem chegando de Marselha, o alemão Steinweg, o correspondente de Rudolf Kesselbach.

— Dieuzy está? — perguntou.

— Está, chefe — respondeu Gourel —, está com o alemão.

— Tragam os dois.

— Nesse momento recebeu um telefonema. Era Jean Doudeville que o procurava do departamento de Garches. A comunicação foi rápida.

— É você, Jean? Algo de novo?

— Sim, chefe, o major Parbury...

— E então?

— Nós o encontramos. Transformou-se em espanhol e escureceu a pele. Acabamos de vê-lo. Ele entrava na escola livre de Garches. Foi recebido pela senhorita... o senhor sabe, a jovem que conhece o príncipe Sernine, Geneviève Ernemont.

— Diabo! Lenormand desligou o aparelho, pegou seu chapéu, precipitou-se no corredor, encontrou Dieuzy e o alemão, e gritou-lhes:

— Às seis horas... estejam aqui...

Atirou-se pela escada seguido de Gourel e de três inspetores que arrebanhou no caminho, e meteu-se num automóvel.

— Para Garches... dez francos de gorjeta...

Um pouco antes do parque de Villeneuve, na esquina da travessa que levava à escola, mandou parar. Jean Doudeville, que os esperava, gritou:

— O patife fugiu pelo outro lado da travessa há dez minutos!

— Só?

— Não, com a senhorita.

Lenormand segurou Doudeville pelo paletó:

— Miserável! Você o deixou fugir! Mas era preciso...

— Meu irmão está em seu encalço.

— Belo avanço! Teu irmão o acompanhará. Você está forte? Ele mesmo tomou a direção do carro e meteu-se pela travessa resolutamente, sem ligar aos buracos e ao mau estado da mesma. Rapidamente desembocaram num caminho vicinal que os levou a uma encruzilhada de onde saíam cinco estradas. Sem hesitar, o Sr. Lenormand escolheu a estrada da esquerda, a de Saint-Cucufa. Realmente, no alto de uma elevação que descia para o lago, passaram pelo irmão Doudeville que alertou:

— Estão de carro... a um quilômetro.

O chefe não parou. Lançou o carro pela descida, a toda velocidade, contornou o lago e subitamente, soltou uma exclamação de triunfo.

No alto de uma pequena colina que se elevava à sua frente vira a capota de um carro. Infelizmente entrara numa estrada errada. Teve que dar marcha a ré.

Quando chegou ao entroncamento, a carruagem lá estava ainda, parada. E de repente, enquanto manobrava, percebeu uma mulher que saltava do carro. Um homem surgiu no estribo. A mulher estendeu o braço. Duas detonações soaram.

Evidentemente não acertara, pois uma cabeça surgiu do outro lado da capota e o homem, vendo o automóvel, chicoteou vivamente o cavalo, que partiu a galope. E pouco mais adiante, numa curva da estrada, escondeu a carruagem.

Em alguns segundos o Sr. Lenormand acabou a manobra, partiu direto pela subida, passou pela jovem sem se deter, e temerariamente fez a curva.

Era um caminho florestal que descia, abrupto e rochoso, entre o mato espesso, e onde só se podia seguir muito lentamente, com as maiores precauções. Mas que importava! A uns vinte passos adiante o carro, uma espécie de cabriolé de duas rodas, dançava sobre as pedras, arrastada e talvez retida por um cavalo que só se arriscava prudentemente e devagar. Não havia nada a temer, a fuga era impossível.

E os dois veículos rodaram de alto a baixo, abalados, sacudidos. Houve um momento em que estiveram tão perto que o Sr. Lenormand pensou em descer e correr com seus homens. Mas sentiu o perigo que seria frear numa ladeira tão violenta, e continuou acuando o inimigo de perto, como uma presa que se tem ao alcance da mão.

— Estamos chegando, chefe... estamos perto!... — murmuravam os inspetores, preocupados com o imprevisto daquela caçada.

Ao final da descida, abria-se um caminho em direção ao Sena, para Bougival. No terreno plano o cavalo partiu trotando, sem se apressar e tomando o centro da vida.

Um esforço violento sacudiu o automóvel. Parecia que em vez de rodar estava aos saltos, como uma fera que se lançasse, roçando as moitas das margens, pronta a vencer todos os obstáculos; alcançou a carruagem, emparelhou com ela, ultrapassou-a...

Uma praga violenta do Sr. Lenormand... Gritos de raiva... A carruagem estava vazia! A carruagem estava vazia. O cavalo continuava calmamente, as rédeas caídas em seu lombo, voltando, sem dúvida, à estrebaria de alguma estalagem da vizinhança, onde fora alugada pelo dia.

Procurando esconder sua cólera, o chefe da Sûreté disse simplesmente:

— O major deve ter saltado durante os segundos em que o perdemos de vista, naquela curva que o carro fez na descida.

— É só dar uma batida no bosque, chefe, e estamos certos de que...

— Voltaremos de mãos abanando. O tratante deve estar longe, é claro, pois não é desses que deixam que o apanhem duas vezes no mesmo dia. Maldito seja! Voltaram ao encontro da jovem que estava em companhia de Jacques-Doudeville e que não parecia, de forma alguma, assustada com a sua aventura.

Lenormand, apresentando-se, ofereceu-se para levá-la até sua casa, e logo interrogou-a a respeito do major inglês Parbury. Ela espantou-se:

— Ele não é major, nem inglês, e tampouco se chama Parbury.

— Então como se chama? — Juan Ribera, é espanhol e encarregado por seu governo de estudar o funcionamento das escolas francesas.

— Pois seja. Seu nome e sua nacionalidade não têm importância, É ele mesmo que procuramos. Conhece-o há muito tempo? — Uns quinze dias. Ele ouvira falar de uma escola que fundei em Garches e interessou-se por minha tentativa, a ponto de propor-me uma subvenção anual, contanto que pudesse, de quando em quando, vir constatar o progresso dos meus alunos. Eu não tinha o direito de recusar...

— Não, evidentemente, mas devia ter consultado alguém, algumas pessoas conhecidas... Não conhece o príncipe Sernine? É um homem que pode dar bons conselhos.

— Oh! Eu tenho toda confiança nele, mas atualmente está viajando.

— Não tem seu endereço?

— Não. E além disso, o que teria a dizer-lhe?

Esse senhor sempre portou-se muito bem. Apenas hoje... Mas eu não sei...

— Eu lhe peço, senhorita, fale-me francamente... Poderá ter confiança em mim também.

— Pois bem; o Sr. Ribera veio cedo. Disse-me que fora enviado por uma senhora francesa, de passagem em Bougival, que essa dama tinha uma neta que desejava confiar-me para educá-la e me pedia que fosse sem demora. A coisa me pareceu perfeitamente natural. E como hoje não há aula e o Sr. Ribera alugara uma carruagem que o esperava, não hesitei em aceitar o convite e tomei o carro.

— Mas afinal, o que desejava ele?

Ela ruborizou-se e disse:

— Raptar-me, simplesmente. Depois de uma meia hora ele confessou.

— Não sabia nada sobre ele?

— Não.

— Ele mora em Paris?

— Suponho que sim.

— Nunca lhe escreveu? Não tem nada escrito por ele, um objeto esquecido, um indício qualquer que possa nos ajudar?

— Nenhum indício... Ah! entretanto... mas isso, sem dúvida, não tem nenhuma importância...

— Fale!... fale!... Eu lhe peço.

— Pois bem, há dois dias, esse senhor me pediu licença para usar minha máquina de escrever e escreveu — com dificuldade, pois não tinha prática — uma carta da qual, por acaso, li o endereço.

— E esse endereço?

— Escrevia ao *Journal*, e colocou dentro do envelope uma vintena de selos.

— Claro, os anúncios pessoais, sem dúvida — disse o Sr. Lenormand.

— Tenho o número de hoje, chefe — disse Gourel.

Lenormand abriu o jornal e consultou a oitava página. Depois de um instante teve um sobressalto. Lera esta frase:

"Informamos a toda pessoa que conheça o Sr. Steinweg que desejamos saber se ele está em Paris e seu endereço. Resposta pela mesma via."

— Steinweg — exclamou Gourel —, mas é exatamente o indivíduo que Dieuzy nos trouxe.

— Sim, sim — fez o Sr. Lenormand para si mesmo —, é o homem de quem interceptei a carta a Kesselbach, o homem que o lançou na pista de Pierre Leduc... Assim eles também têm necessidade de informações sobre Pierre Leduc e o seu passado... Eles também andam às apalpadelas...

Esfregou as mãos: Steinweg estava à sua disposição. Antes de uma hora, o espesso véu de trevas que o oprimia e que tornava o caso Kesselbach o mais angustiante e mais impenetrável dos casos que tivera a resolver, este véu seria rompido.

Capítulo 6

SR. LENORMAND É DERROTADO

À s seis horas da tarde, o Sr. Lenormand chegava a seu gabinete na chefatura de polícia. Imediatamente chamou Dieuzy.

— Seu homem está aí?

— Está.

— Como ele está?

— Não muito bem. Ele não diz uma palavra sequer. Eu lhe disse que, de acordo com uma nova ordem, os estrangeiros eram obrigados a fazer uma declaração de estadia na chefatura e o conduzi até aqui.

— Vou interrogá-lo.

Mas nesse momento apareceu um rapaz:

— Há uma senhora, chefe, que pede para falar urgentemente com o senhor.

— Tem cartão de visitas?

— Está aqui.

— Sra. Kesselbach! Peça para entrar.

Ele mesmo foi ao encontro da jovem senhora e pediu-lhe que se sentasse. Ela ainda tinha o mesmo olhar triste, sua expressão doentia e aquele olhar de cansaço extremo em que se revelava a angústia de sua vida.

Estendeu-lhe um exemplar do *Journal* apontando para os anúncios pessoais, na linha onde estava a pergunta sobre o Sr. Steinweg.

— O Sr. Steinweg era amigo de meu marido — disse ela — e não duvido que ele saiba de muitas coisas.

— Dieuzy, — disse Lenormand — traga a pessoa que aguarda... Sua visita, senhora, não foi inútil. Só lhe peço que quando essa pessoa entrar, não fale nada.

A porta se abriu. Entrou um homem idoso com uma barba branca como um colar, o rosto marcado por profundas rugas, malvestido, o ar assustado dos coitados que vivem em busca de comida diária.

Permaneceu na soleira, os olhos piscando, olhou o Sr. Lenormand, parecendo aborrecido com o silêncio com que era recebido, amassando o chapéu nas mãos, sem jeito.

De repente pareceu espantado, os olhos esbugalhados e gaguejou:

— Senhora... senhora Kesselbach...

Vira a jovem senhora. Tranquilizado, sorridente, sem timidez, aproximou-se dela e com uma voz carregada disse:

— Ah! Estou contente... por fim!... acreditava que nunca mais... estava preocupado... sem notícias... nem um telegrama... E como vai esse bom Rudolf Kesselbach?

A jovem senhora teve um movimento de recuo, como atingida em pleno rosto, e caiu sobre uma cadeira, soluçando.

— O que é? Eh... o que é? — murmurou Steinweg.

Lenormand interferiu:

— Vejo, senhor, que ignora certos acontecimentos recentes. Está viajando há muito tempo?

— Estou, há três meses... Subi até as minas. Depois voltei à Cidade do Cabo, de onde escrevi a Rudolf. Mas na viagem aceitei trabalhar em Port-Said. Rudolf recebeu minha carta, não recebeu?

— Ele está ausente. Eu lhe explicarei as razões desta ausência. Mas antes há um ponto para o qual queremos alguns esclarecimentos. Trata-se de uma pessoa que o senhor conheceu e que indicou ao Sr. Kesselbach, com o nome de Pierre Leduc.

— Pierre Leduc! Que há? Quem falou sobre isso? O velho estava transtornado.

Balbuciou novamente:

— Quem falou? Quem lhe revelou isto?

— O Sr. Kesselbach.

— Nunca! É um segredo que revelei a ele, e Rudolf sabe guardar segredos, especialmente este...

— Mas é fundamental que nos responda. Estamos fazendo atualmente um inquérito sobre Pierre Leduc, um inquérito que deve dar resultados imediatos e somente o senhor poderá nos esclarecer, uma vez que o Sr. Kesselbach não está presente.

— Afinal, o que lhes falta? — perguntou Steinweg parecendo se decidir.

— Conhece Pierre Leduc?

— Nunca o vi, mas há muito tempo possuo um segredo que lhe pertence. Depois de uma série de incidentes que seria inútil repetir aqui, e graças ao acaso, acabei tendo a certeza de que este que tanto me interessa descobrir vive em Paris, na miséria, e que ele se faz chamar por Pierre Leduc, que não é seu nome verdadeiro.

— Mas ele sabe seu nome verdadeiro?

— Creio que sim.

— E o senhor?

— Eu, eu o conheço.

— Pois bem, diga-o.

Ele hesitou e depois explodiu:

— Não posso... não posso...

— Mas por quê?

— Não tenho o direito. Todo o segredo está aí. Ora, esse segredo, quando o contei a Rudolf, ele julgou tão importante que me deu uma boa soma de dinheiro para comprar meu silêncio e prometeu-me uma fortuna no dia em que entrasse em contato com Pierre Leduc e conseguisse saber a outra parte do segredo.

Sorriu amargamente:

— O dinheiro, o bom dinheiro, já se foi. Quero notícias de minha fortuna.

— O Sr. Kesselbach morreu — disse o chefe da Sûreté.

Steinweg deu um salto.

— Morto! Será possível? Não, é uma armadilha. Sra. Kesselbach, é verdade?

Ela baixou a cabeça.

Ele pareceu esmagado por esta imprevista revelação e, ao mesmo tempo devia lhe ser muito dolorosa porque se pôs a chorar.

— Meu pobre Rudolf, eu o conheço desde pequeno... ele vinha brincar comigo em Augsbourg... Gostava muito dele...

E pedindo aprovação da Sra. Kesselbach:

— E ele também, não é, senhora, ele me considerava bastante? Ele deve ter lhe dito... seu velho pai Steinweg, como me chamava.

Lenormand aproximou-se e disse com voz dura:

— Escute-me. O Sr. Kesselbach morreu assassinado... Vejamos, acal-me-se... não adianta gritar... Morreu assassinado e todas as circunstâncias do crime provam que o culpado estava ao corrente desse famoso projeto. Haveria alguma coisa na natureza desse projeto que lhe permitisse adivinhar?...

Steinweg continuava estático. Balbuciou:

— A culpa foi minha... se eu não lhe tivesse contado nada sobre este assunto...

A Sra. Kesselbach adiantou-se, suplicante:

— Você acredita... você tem alguma ideia... Oh! Eu lhe peço, Steinweg...

— Não tenho ideia... ainda não pensei nisso — murmurou ele. — É preciso que eu pense um pouco...

— Procure nas pessos em volta do Sr. Kesselbach — disse Lenormand. — Ninguém ouviu suas conversas? Ele mesmo não poderia ter confiado em alguém?

— Ninguém.

— Pense bem.

Dolores e o Sr. Lenormand, debruçavam-se sobre ele, esperando ansiosamente uma resposta.

— Não! — disse ele.

— Procure bem — insistiu o chefe da Sûreté —, o nome e o sobrenome do assassino têm como iniciais um *L.* e um *M.*

— Nem imagino... um *L*... um *M*...

— Sim, as iniciais são de ouro e marcam o canto de uma cigarreira que pertencia ao assassino.

— Uma cigarreira? — perguntou Steinweg fazendo um esforço de memória.

— Em aço polido... e um dos compartimentos interiores era dividido em duas partes, a menor para o papel de cigarros e a outra para o fumo...

— Em duas partes... em duas partes — repetia Steinweg cujas lembranças pareciam despertar com esse detalhe. — Poderia mostrar-me esse objeto?

— Eis aqui, ou melhor, eis aqui uma reprodução exata — disse Lenormand entregando-lhe uma cigarreira.

— Hein! O quê!... — disse Steinweg pegando-a.

Olhou-a com um olhar estúpido, examinou-a, virou-a em todos os sentidos e subitamente deu um grito, o grito de um homem que de repente se choca com uma ideia pavorosa. E ficou assim, lívido, as mãos trêmulas, os olhos esbugalhados.

— Fale, mas fale logo! — ordenou o Sr. Lenormand.

— Oh! — disse ele como cego pela luz. — Tudo se explica...

— Fale, mas fale de uma vez...

Afastou os dois, caminhou até as janelas, as pernas bambas, depois voltando-se, dirigiu-se ao chefe da Sûreté:

— Senhor, senhor... o assassino de Rudolf, eu vou lhe dizer... Pois bem... Interrompeu.

— E então? — perguntaram os outros.

Um minuto de silêncio... Na grande paz do escritório, entre aquelas paredes que ouviram tantas confissões, tantas acusações, o nome do criminoso iria finalmente ser dito? Parecia ao Sr. Lenormand estar à beira de um abismo insondável e que uma voz subia, subia até ele... Alguns segundos mais e saberia...

— Não — murmurou Steinweg — não, eu não posso...

— Que é que está dizendo? — gritou furioso o chefe da Sûreté.

— Digo que não posso.

— Mas não tem o direito de se calar! A justiça exige.

— Amanhã, eu falarei amanhã... é preciso que eu reflita... Amanhã direi tudo o que sei sobre Pierre Leduc... tudo que suponho a respeito da cigarreira... Amanhã, prometo...

Sentia-se nele uma espécie de obstinação contra a qual todos os esforços seriam inúteis, mesmo os mais enérgicos. O Sr. Lenormand cedeu.

— Pois seja. Eu lhe dou um prazo até amanhã, mas fica alertado que se não falar, serei obrigado a informar ao juiz de instrução.

Tocou a campainha e chamou o inspetor Dieuzy de lado:

— Acompanhe-o até seu hotel e fique lá... Eu vou enviar-lhe dois agentes... Sobretudo mantenha os olhos bem abertos. Poderão tentar apanhá-lo.

O Inspetor levou Steinweg, e o Sr. Lenormand, retornando para o lado da Sra. Kesselbach, que se encontrava muito emocionada com aquela cena, e desculpou-se:

— Aceite todas as minhas desculpas, senhora... compreendo a que ponto esta cena a comoveu...

Interrogava-a sobre a época em que o Sr. Kesselbach entrara em relações com o velho Steinweg, e sobre a duração desse relacionamento. Mas ela se mostrava tão cansada, que não insistiu.

— Devo voltar amanhã? — perguntou ela.

— Não, não. Farei com que a senhora seja posta a par de tudo o que Steinweg disser. Permita-me que lhe ofereça meu braço até seu carro?... Estes três andares são cansativos para descer...

Abriu a porta e afastou-se para que ela passasse à frente. Ao mesmo tempo ouviram exclamações no corredor e logo diversas pessoas correram, inspetores de polícia, funcionários dos escritórios...

— Chefe! Chefe!

— Que é que há?

— Dieuzy!...

— Ele acaba de sair daqui...

— Foi encontrado na escada...

— Morto?

— Não, espancado, desmaiado...

— Mas o homem?... o homem que estava com ele?... o velho Steinweg?

— Desapareceu...

— Inferno!

* * *

Correu pelo corredor, avançou pela escada e no meio de um grupo de pessoas que o atendiam encontrou Dieuzy estendido no patamar do primeiro andar. Viu Gourel que subia.

— Ah! Gourel, você vem de baixo? Encontrou alguém?

— Não, chefe...

Mas Dieuzy se reanimava e logo com os olhos abertos resmungou:

— Aqui, no patamar, a porta pequena...

— Ah! Droga! A porta da sétima câmara! — bradou o chefe da Sûreté. — Eu deveria ter ordenado que a fechassem a chave... Estava escrito que um dia ou outro...

Partiu para a porta e tentou abri-la.

— Ora bolas! O trinco está passado do outro lado.

A porta era envidraçada em parte. Com a coronha de seu revólver quebrou um dos vidros, soltou o trinco e disse a Gourel:

— Corra, rápido, por aí até a saída da praça Dauphine... E voltando-se para Dieuzy:

— Vamos, Dieuzy, fale. Como você deixou que o apanhassem assim?

— Um soco, chefe...

— Um soco daquele velho? Mas ele mal podia se manter de pé...

— Do velho não, chefe, de um outro que passava no corredor enquanto Steinweg estava com o senhor e que nos seguiu como se também fosse sair... Chegando aqui perguntou-me se tinha fogo... Procurei minha caixa de fósforos... Ele se aproveitou para dar-me um violento soco no estômago... Caí, e enquanto caía tive a impressão de que ele abria essa porta e que levava o velho consigo...

— Poderia reconhecê-lo?

— Claro, chefe... um sujeito forte, pele morena, um sujeito do Sul, com certeza...

— Ribera... — rosnou Lenormand —, sempre ele!... Ribera, aliás Parbury. Ah! o pirata, que audácia... Ele tinha receio do velho Steinweg... e veio buscá-lo aqui mesmo, nas minhas barbas!...

E batendo o pé com raiva:

— Mas meu Deus, como pôde saber que Steinweg estava aqui, o bandido!? Não faz ainda quatro horas que o persegui nos bosques de Saint-Cucufa... e agora ei-lo aqui!... Como é que soube? Ele então adivinha meus pensamentos e meus atos?

Foi tomado por um acesso de devaneio, onde parecia nada mais entender, nada mais ver. A Sra. Kesselbach passou por ele, cumprimentou-o, mas ele nem respondeu. Um ruído de passos no corredor sacudiu-o do torpor.

— Finalmente, é você, Gourel?

— Era isso mesmo, chefe — disse Gourel quase sem fôlego. — Eles eram dois. Seguiram este caminho e saíram na praça Dauphine. Um automóvel os esperava. Dentro já havia duas pessoas, um homem vestido de preto, com um chapéu mole, de aba abaixada sobre os olhos...

— É ele — murmurou Lenormand —, o assassino, o cúmplice de Ribera Parbury. E a outra pessoa?

— Uma mulher, uma mulher sem chapéu, uma moça simples... e bonita, parece que ruiva.

— Hein? Diz que ela é ruiva?

— É.

Lenormand voltou-se de um salto, desceu as escadas de quatro em quatro, passou pelo pátio e saiu no Quai des Orfèvres.

— Pare! — gritou.

Um veículo puxado por dois cavalos afastava-se. Era a carruagem da Sra. Kesselbach... O cocheiro ouviu e parou. O Sr. Lenormand subiu no estribo.

— Mil perdões, senhora, sua ajuda me é indispensável. Peço licença para acompanhá-la... Mas é necessário agir com rapidez. Gourel, meu carro... Você o despachou?... Um outro qualquer então...

Cada um correu para um lado. Mas passaram-se uns dez minutos antes que conseguissem um automóvel de aluguel. O Sr. Lenormand fervia de impaciência. A Sra. Kesselbach, de pé na calçada, cambaleava com o frasco de sais na mão.

Finalmente se instalaram no carro.

— Gourel, suba ao lado do motorista e vamos direto para Garches.

— À minha casa! — comentou Dolores espantada.

Ele não respondeu. Debruçado na porta, agitava seu crachá da polícia, identificava-se com os agentes do tráfego. Finalmente, quando chegaram ao Cours-la-Reine, sentou-se e disse:

— Eu lhe suplico, senhora, que responda claramente às minhas perguntas. A senhora viu ou estava com a senhorita Geneviève Ernemont mais cedo, pelas quatro horas?

— Geneviève... sim... eu me aprontava para sair.

— Foi ela quem lhe falou do anúncio no *Journal*, referente a Steinweg?

— Foi, efetivamente.

— Foi por isso que decidiu vir me ver?

— Sim.

— Estava só durante a visita da senhorita Ernemont?

— Realmente... não sei... Por quê?

— Lembre-se. Uma das empregadas estava lá?

— É possível... eu me vestia...

— Qual é seu nome?

— Suzanne... e Gertrude.

— Uma delas é ruiva, não?

— Gertrude é.

— Conhece-a há muito tempo?

— Sua irmã sempre me servia... e Gertrude está em minha casa há muitos anos... É a dedicação em pessoa, a honestidade...

— Em poucas palavras, responde por ela?

— Oh! Completamente.

— Tanto melhor... tanto melhor!...

Eram sete e meia e a luz do dia começava a declinar quando o automóvel chegou diante da casa de repouso. Sem se ocupar com a sua companheira, o chefe da Sûreté precipitou-se para a portaria.

— A empregada da Sra. Kesselbach acaba de entrar, não?

— Que empregada?

— Gertrude, uma das duas irmãs.

— Mas Gertrude não deve ter saído, senhor, ou nós a teríamos visto se saísse.

— No entanto alguém acabou de entrar.

— Não, senhor, não abrimos a porta para ninguém, desde... seis horas da tarde.

— Não há outra entrada além desta porta?

— Nenhuma. Os muros contornam toda a propriedade, por todos os lados, e são bem altos...

— Sra. Kesselbach — disse o Sr. Lenormand — iremos até seu pavilhão.

Foram os três. A Sra. Kesselbach, que não tinha chave, bateu. Foi Suzanne, a outra irmã, quem apareceu.

— Gertrude está? — perguntou a Sra. Kesselbach.

— Está, senhora, em seu quarto.

— Chame-a, senhorita — ordenou o chefe da Sûreté.

Daí a um instante Gertrude desceu, amável e graciosa, com seu avental branco bordado. Tinha uma fisionomia bonita, emoldurada por cabelos ruivos.

Lenormand olhou-a longamente sem dizer nada, como se quisesse penetrar além daqueles olhos inocentes. Não a interrogou. Depois de um minuto, disse simplesmente:

— Pois bem, senhorita, muito obrigado. Você vem, Gourel?

Saiu com o sargento e de repente, andando pelas alamedas sombrias do jardim, disse:

— É ela.

— Acredita, chefe? Ela tem um ar tão tranquilo!

— Tranquilo demais. Qualquer outra estaria espantada, teria indagado por que eu a chamara. Ela nada. Nada além da apresentação de um rosto que quer sorrir sempre, a qualquer preço. Apenas em sua têmpora, vi uma gota de suor que escorria ao longo da orelha.

— E então?

— Está tudo bem claro. Gertrude é cúmplice dos bandidos que agem em torno do caso Kesselbach, seja para surpreender e executar o famoso projeto, seja para tomar os milhões da viúva. Sem dúvida a outra irmã está também no plano. Pelas quatro horas, Gertrude, avisada que eu conhecia o anúncio publicado no *Journal* e que por outro lado eu tinha encontro com Steinweg, aproveita a saída de sua patroa, corre a Paris, encontra Ribera e o homem do chapéu mole, leva-os ao Palácio da Justiça, onde Ribera, para sua conveniência, rapta o Sr. Steinweg.

Refletiu e concluiu:

— Tudo isso vem provar... Primeiro: a importância que eles dão ao Sr. Steinweg e o medo que lhes inspirava suas revelações; Segundo: que uma verdadeira conspiração está armada em torno da Sra. Kesselbach; Terceiro: que não tenho tempo a perder, pois a conspiração já está pronta.

— Está bem — disse Gourel —, mas há uma coisa inexplicável. Como Gertrude pôde sair do jardim onde estamos e voltar sem ser vista pelos porteiros?

— Por uma passagem secreta que os bandidos devem ter feito recentemente.

— E que leva, sem dúvida — disse Gourel —, ao pavilhão da Sra. Kesselbach?

— Sim, talvez... — respondeu o Sr. Lenormand —, mas eu tenho uma outra ideia...

Seguiram o contorno dos muros. A noite estava clara mas não se podia distinguir suas duas silhuetas, e eles viam o suficiente para examinar as pedras das muralhas e se assegurarem de que não existia qualquer brecha, por mais disfarçada que fosse.

— Uma escada, talvez? — insinuou Gourel.

— Não, pois Gertrude teria que passar em pleno dia. Um caminho desse gênero não pode, evidentemente, desembocar no lado de fora. É preciso que a abertura esteja escondida por alguma construção já existente.

— Só existem quatro pavilhões — objetou Gourel —, estão todos habitados.

— Perdão, o terceiro pavilhão, o pavilhão Hortense, não está habitado.

— Quem lhe disse?

— O porteiro. Para fugir ao barulho, a Sra. Kesselbach alugou também esse pavilhão, que é bem próximo ao seu. Quem sabe se agindo dessa maneira, não foi influenciada por Gertrude? Fez a volta da casa. As venezianas estava fechadas. Apenas para tentar, levantou o trinco da porta, e ela se abriu.

— Ah! Gourel, creio que estamos indo bem. Entremos. Acenda a lanterna... Oh! o vestíbulo, o salão, a sala de refeições... é inútil. Deve haver um subsolo, pois a cozinha não é neste andar.

— Por aqui, chefe... olhe a escada de serviço.

Desceram com efeito numa cozinha bastante grande, abarrotada de cadeiras de jardim e de guaritas de junco. Ao lado, uma lavanderia servindo também de adega e celeiro, apresentando a mesma desordem de objetos, uns por cima dos outros.

— O que brilha ali, chefe? Gourel abaixou-se e apanhou um alfinete de cobre cuja cabeça era uma pérola falsa.

— A pérola ainda brilha — disse Lenormand —, o que não aconteceria se ela estivesse aqui há muito tempo. Gertrude passou por aqui, Gourel.

Gourel pôs-se a afastar um monte de trastes, caixas velhas e mesas capengas.

— Perde seu tempo, Gourel! Se a passagem fosse por aí como poderiam ter tempo para afastar todos esses objetos e depois de passar colocá-los de novo onde estavam? Veja, eis aqui uma moldura de janela fora de uso, que não tem nenhuma razão de estar preso à parede por este prego. Afaste-o.

Gourel obedeceu.

Atrás da moldura, o muro estava cavado. À luz da lanterna, viram o subterrâneo que entrava terra adentro.

* * *

— Eu não me enganava — disse o Sr. Lenormand —, a via de comunicação é recente. Você pode ver que é um trabalho feito às pressas, para ser usado por pouco tempo... Nenhum trabalho de pedreiro. De quando em quando duas pranchas em cruz e uma trave servindo de teto e é tudo. Isso não resistirá muito tempo, mas esse tempo será o necessário para que eles alcancem o seu fim.

— O que quer dizer, chefe?

— Primeiro para permitir as idas e vindas entre Gertrude e seus cúmplices... e depois um dia, um dia bem próximo, o rapto ou talvez o sumiço misterioso, incompreensível da Sra. Kesselbach.

Avançavam devagar para não esbarrar em alguma viga. À primeira vista, a extensão do túnel era superior aos cinquenta metros que separavam o pavilhão dos muros que cercavam o parque. Ele devia terminar distante dos muros, além do caminho que se estendia por toda volta do domínio.

— Nós não estamos indo para os lados de Villeneuve e do lago por aqui? — perguntou Gourel.

— Estamos exatamente do lado oposto — afirmou o Sr. Lenormand.

A galeria descia numa inclinação branda. Havia um degrau, depois outro, e obliquava para a direita. Aí esbarraram numa porta ajustada em um retângulo de alvenaria, cuidadosamente cimentada. Lenormand empurrou-a e ela se abriu.

— Um segundo, Gourel — disse ele —, vamos refletir... Talvez seja melhor voltarmos atrás.

— Por quê?

— É preciso pensar que Ribera previu esse perigo e supor que ele tenha tomado suas precauções para o caso de o subterrâneo ser descoberto. Ora, ele sabe que nós demos uma batida no jardim. Deve ter visto quando entramos no pavilhão. Quem nos garante que ele não está preparado para nos armar uma cilada?

— Nós somos dois, chefe.

— E eles são vinte, talvez.

Olhou. O subterrâneo subia e dirigia-se para outra porta, distante cinco ou seis metros.

— Vamos até aqui — disse ele —, então veremos.

Passou seguido de Gourel, a quem recomendou que deixasse a porta aberta, decidido a não ir mais longe. Mas ela estava fechada e se bem que a fechadura parecesse funcionar, não conseguia abri-la.

— O trinco está corrido do outro lado — disse ele. — Não façamos ruído e voltemos atrás. Assim que sairmos, verificamos, pela orientação da galeria, a direção em que devemos procurar a outra saída do subterrâneo.

Voltaram atrás para a primeira porta, quando Gourel, que andava na frente, teve uma exclamação de surpresa.

— Veja, ela está fechada...

— Mas como! Eu disse que a deixasse aberta!

— E eu deixei aberta, mas o batente deve ter se fechado sozinho.

— Impossível! Teríamos ouvido o ruído.

— E agora? — Agora... agora... não sei... Aproximou-se.

— Vejamos... há uma chave... Ela roda. Mas do outro lado deve haver um ferrolho...

— Quem o terá trancado?

— Eles, é claro! Logo que passamos. Eles talvez tenham outra galeria, ao lado desta, ou então ficaram escondidos no pavilhão desabitado... Afinal, de qualquer maneira, caímos mesmo na armadilha.

Atacou a fechadura, introduziu seu canivete na fenda, procurou todos os meios e depois, com ar cansado, disse:

— Nada feito!

— Como, chefe, nada feito? Nesse caso estamos mesmos perdidos?

— Verdade... — disse ele.

Regressaram para a outra porta, e voltaram à primeira. Eram ambas maciças, de madeira forte, reforçadas por traves... inquebráveis.

— Seria preciso um machado — disse o chefe da Sûreté — ou outro instrumento semelhante... até mesmo uma faca mais forte, com a qual eu tentaria cortar o local onde provavelmente se encontra o ferrolho... E não temos nada. Teve um súbito acesso de raiva e jogou-se contra o obstáculo como se quisesse destruí-lo. Depois, impotente, vencido, disse a Gourel:

— Escute, veremos o que acontecerá dentro de uma hora ou duas... Estou exausto... vou dormir... Durante esse tempo, mantenha vigilância... E se vierem nos atacar...

— Ah! Se vierem estaremos salvos, chefe... — exclamou Gourel como um homem que preferia a luta por mais desigual que fosse.

Lenormand deitou-se no chão. Em um minuto adormecia.

Quando despertou ficou alguns instantes indeciso, sem compreender, perguntando-se que sofrimento era aquele pelo qual passava.

— Gourel! — chamou ele. — Onde está você, Gourel? Não tendo resposta, acendeu a lanterna e viu Gourel a seu lado, dormindo profundamente.

— O que estará se passando comigo que me sinto tão mal? — pensou. — Estas crispações... Ah, é isto! Tenho fome! Simplesmente fome... morro, de fome! Que horas serão? Seu relógio marcava sete horas e vinte, mas lembrou-se que não dera corda. O relógio de Gourel também estava parado.

Este acordara sentindo as mesmas crispações no estômago e chegaram à conclusão de que a hora do almoço passara há muito e que tinham dormido durante uma boa parte do dia.

— Sinto as pernas dormentes — declarou Gourel — e os pés gelados... Que impressão curiosa!

Tentou friccionar as pernas e comentou:

— Veja, não é à toa que sinto os pés gelados: eles estão dentro d'água... Veja, chefe, está tudo alagado...

— Infiltrações — respondeu o Sr. Lenormand. — Vamos para perto da segunda porta, que você vai ficar seco...

— Mas que o senhor vai fazer, chefe?

— Pensa que eu deixarei que me enterrem vivo neste buraco? Ah! Não, ainda não tenho idade para isso... Já que as duas portas estão fechadas, tratemos de atravessar as paredes.

Uma a uma, ia soltando as pedras que estavam ao seu alcance na esperança de abrir outra galeria que os levasse, em subida, até o nível do solo. Mas o trabalho era longo e penoso, pois nesta parte do subterrâneo as pedras estavam cimentadas.

— Chefe... chefe... — balbuciou Gourel com voz estrangulada.

— Que é?

— O senhor está com os pés dentro d'água!

— Ora vamos, eu sei... Mas o que quer?... Depois nos secamos ao sol.

— Mas o senhor não está reparando?...

— Em quê?

— Está subindo, chefe, está subindo...

— O que está subindo?

— A água...

Lenormand sentiu um arrepio que correu por todo seu corpo. Compreendeu tudo.. Não era uma infiltração fortuita, mas uma inundação habilmente preparada, graças a algum infernal sistema.

— Ah! o miserável... — rosnou ele. — Se um dia eu apanhá-lo!

— Sim, sim, chefe, mas é preciso que antes de mais nada a gente saia daqui, e por mim...

Gourel parecia arrasado, sem condições de ter uma ideia ou de propor algum plano.

Lenormand ajoelhara-se no chão e media a rapidez com que a água subia. Uma quarta parte da primeira porta estava praticamente coberta e a água avançava, subindo sempre, em direção à segunda porta.

— O progresso é lento mas ininterrupto — disse ele. — Dentro de algumas horas estaremos cobertos pela água.

— Mas é pavoroso, chefe, é horrível — gemeu Gourel.

— Ah! Tenha calma, não vá nos aborrecer com suas lamentações. Se quiser pode chorar, mas de um jeito que eu não ouça.

— É a fome que me enfraquece, chefe, estou com tontura.

— Coma sua mão.

Como dizia Gourel, a situação era pavorosa e se o Sr. Lenormand fosse menos enérgico, teria abandonado a luta, uma luta tão inútil. Que fazer? Não podiam esperar que Ribera tivesse a caridade de facilitar-lhes a fuga. Não podiam esperar também que os irmãos Doudeville pudessem socorrê-los, uma vez que os inspetores ignoravam a existência do túnel.

Assim, não restava nenhuma esperança... nenhuma esperança a não ser um verdadeiro milagre...

— Vejamos, vejamos... — repetia Lenormand —, é uma asneira pensar que vamos acabar assim! Que diabo! Deve haver algo que possa ser feito... Ilumine com a lanterna, Gourel.

Colado de encontro à segunda porta, examinou-a de alto a baixo, em todos os cantos. Havia desse lado, como provavelmente do outro, um enorme ferrolho. Com a lâmina da faca afrouxou os parafusos e o ferrolho soltou-se.

— E depois? — perguntou Gourel.

— Depois? — respondeu ele. — Bem, este ferrolho é de ferro, bastante grande, quase pontudo... Não chega a ser uma picareta, mas de qualquer forma é melhor do que nada... e...

Sem terminar a frase, introduziu o instrumento na parede da galeria, um pouco antes do pilar de alvenaria que suportava os gonzos da porta. Como esperava, logo que atravessou a primeira camada de cimento e pedras, encontrou terra mole.

— Vamos trabalhar — exclamou, — É o que quero, chefe, mas me explique...

— É simples, trata-se de cavar em torno deste pilar uma passagem de três ou quatro metros de comprimento que irá dar no outro lado do túnel, depois da porta, permitindo assim que fujamos.

— Mas demoraremos horas e enquanto isso a água sobe.

— Ilumine aqui, Gourel.

A ideia do Sr. Lenormand era boa e com um pouco de esforço, puxando para si a terra que ia tirando e jogando ao chão, dentro de pouco tempo cavara um buraco bastante grande para entrar no mesmo.

— É a minha vez, chefe! — disse Gourel.

— Ah! ah! Voltou à vida? Pois bem, trabalhe... Você tem que cavar em torno do pilar.

Nessa hora a água alcançava seus tornozelos. Teriam eles tempo de acabar a obra começada? À medida que avançavam, ela se tornava mais difícil, pois a terra retirada atrapalhava e, deitados de bruços na passagem, eram obrigados a todo instante a retirar o entulho.

Depois de duas horas o trabalho estava praticamente em três quartos, mas a água já cobria suas pernas. Mais uma hora e chegaria ao buraco que estavam abrindo. Aí seria o fim.

Gourel, cansado pela falta de alimentação, e muito grande para se movimentar neste corredor cada vez mais estreito, acabou renunciando. Não se mexia mais. Tremendo de aflição sentindo a água gelada o absorvendo pouco a pouco.

Lenormand trabalhava infatigavelmente. Trabalho terrível, obra de formiga, que se processava nas trevas sufocantes. Suas mãos sangravam. Desfalecia de fome. Respirava mal um ar insuficiente e de vez em quando os suspiros de Gourel lembravam-lhe o perigo que o ameaçava no fundo de sua toca.

Porém nada podia desencorajá-lo uma vez que alcançara as pedras cimentadas que compunham a parede da galeria. Era a parte mais difícil, mas o término da jornada se aproximava.

— Está subindo! — gritou Gourel numa voz sufocada — Está subindo!

Lenormand redobrou de esforços. De repente, a ponta do ferrolho que usava encontrou o vazio. A passagem estava completada. Precisava alargá-la, o que se tornara bem mais fácil, uma vez que poderia atirar o entulho fora pela nova abertura.

Gourel, louco de medo, gemia como um animal agonizante. Ele não se comovia com isso. A salvação estava ao alcance de sua mão.

Ficou ansioso ao constatar, pelo som da queda do entulho, que também essa parte do túnel estava cheia de água — o que era natural, uma vez que a porta não servia como um dique hermético. Mas que importa? A saída estava livre... um último esforço... Passou.

— Venha, Gourel — disse ele voltando para ajudar seu companheiro.

Puxou-o, meio morto, pelos braços.

— Vamos, reaja, estúpido, estamos salvos.

— Tem certeza, chefe?... tem certeza?... Estamos com água até o peito...

— Vamos, vamos... Enquanto não chegar à boca... E sua lanterna?

— Não funciona mais.

— Tanto faz.

Teve uma exclamação de alegria:

— Um degrau... dois degraus!... Uma escada... Finalmente! Saíram da água, dessa água maldita que quase os engole, e era uma sensação deliciosa, um salvamento que os exaltava.

— Pare! — murmurou o Sr. Lenormand.

Sua cabeça batera em qualquer coisa. Os braços estendidos, apoiou-se contra um obstáculo que cedeu. Era a tampa de um alçapão e, uma vez aberta, encontraram-se numa cava onde se filtrava, por um respiradouro, a claridade de uma noite enluarada.

Empurrou o batente e subiu os últimos degraus.

Uma coberta caiu sobre ele. Braços o seguraram. Sentiu-se como envolvido, embrulhado numa espécie de saco e depois amarrado por cordas.

— O outro — disse uma voz.

Deviam ter feito o mesmo com Gourel e a mesma voz disse:

— Se gritarem, mate-os. Tem seu punhal?

— Tenho.

— A caminho. Vocês dois carreguem este... vocês dois, o outro... Nada de luzes nem barulho... Seria horrível pois desde esta manhã que vasculham o jardim do lado... e são dez ou quinze trabalhando, procurando. Volte ao pavilhão, Gertrude, e qualquer coisa telefone para mim em Paris.

Lenormand sentiu que o carregavam e, depois de um momento, que estava fora do subterrâneo.

— Traga a charrete — disse a voz.

Lenormand ouviu o ruído de um carro puxado a cavalo. Deitaram-nos atrás; Gourel foi posto a seu lado. O cavalo partiu trotando.

O trajeto durou uma meia hora mais ou menos.

— Alto! — gritou a voz. — Desça-os. O cocheiro que pare a charrete de forma que a parte de trás fique junto ao parapeito da ponte... Assim... Não há nenhum barco no Sena? Não? Então, não percamos tempo... Ah! Amarraram algumas pedras?

— Amarramos umas lajes.

— Neste caso vamos. Recomende sua alma a Deus, Sr. Lenormand, e reze por mim, Parbury-Ribera, mais conhecido pelo nome de Barão Altenheim.

— Está pronto? Pois bem, boa viagem, Sr. Lenormand.

Lenormand foi posto no parapeito. Empurraram-no. Sentiu que caía no vazio e ainda ouvia a voz que zombava:

— Boa viagem!

Dez segundos depois era a vez do sargento Gourel.

CAPÍTULO 7

PARBURY-RIBERA-ALTENHEIM

As meninas brincavam no jardim sob a vigilância da senhorita Charlotte, nova assistente de Geneviève. A Sra. Ernemont fez uma distribuição de doces, depois entrou no cômodo que servia de salão e sala de visitas e instalou-se diante de uma mesa que arrumou.

De repente a impressão de uma presença estranha no lugar. Voltou-se inquieta:

— Você! — exclamou. — De onde vem! Por onde?...

— Psst! — fez o príncipe Sernine. — Escute-me e não percamos tempo. Cadê Geneviève?

— Visitando a Sra. Kesselbach.

— Voltará agora?

— Não, dentro de uma hora.

— Então deixarei que venham os irmãos Doudeville. Tenho encontro com eles. Como vai Geneviève?

— Muito bem.

— Quantas vezes ela visitou Pierre Leduc depois de minha partida há uns dias?

— Três vezes, e ele deve encontrá-la hoje na casa da Sra. Kesselbach, a quem ela o apresentou, seguindo suas ordens. Apenas eu lhe digo que esse Pierre Leduc não me agrada muito. Geneviève deveria encontrar algum rapaz de sua própria classe. Por exemplo, um professor.

— Está louca! Geneviève casar-se com um professor!

— Ah! Se você pensasse antes na felicidade de Geneviève...

— Bobagem, Victoire. Você me aborrece com este falatório. Será que terei tempo a perder com sentimentalismos? Eu jogo uma partida de xadrez, e mexo minhas peças sem me preocupar com o que elas pensam. Quando eu ganhar o jogo, aí então me preocuparei em saber se o cavaleiro Pierre Leduc e a rainha Geneviève têm corações.

Ela interrompeu-o:

— Ouviu? Um assobio...

— São os dois Doudeville. Vá buscá-los e deixe-nos.

Assim que os irmãos entraram, interrogou-os laconicamente, como de costume:

— Sei o que os jornais publicaram o desaparecimento de Lenormand e de Gourel. Sabem mais alguma coisa?

— Não. O subchefe Weber está encarregado do caso. Há dezoito dias que vasculhamos os jardins da casa de repouso e não conseguimos explicar o desaparecimento. Toda a Sûreté está alerta... Nunca viram isso... um chefe da Sûreté que desaparece sem deixar o menor traço!

— As duas empregadas?

— Gertrude partiu. Está sendo procurada.

— E sua irmã Suzanne?

— O Sr. Weber e o Sr. Formerie já a interrogaram. Não há nada contra ela.

— É tudo o que vocês têm a me dizer?

— Há outras coisas que não falamos aos jornais.

Contaram então os acontecimentos que marcaram os dois últimos dias do Sr. Lenormand, a visita noturna dos dois bandidos à casa de Pierre Leduc, depois, no dia seguinte, a tentativa de rapto levada a efeito por Ribera, e a caçada através dos bosques de Saint-Cucufa, a chegada do velho Steinweg, seu interrogatório diante da Sra. Kesselbach e sua fuga do Palácio de Justiça.

— E ninguém, salvo vocês, conhece todos esses detalhes?

— Dieuzy conhece o incidente Steinweg, pois foi ele quem nos contou.

— E continuam confiando em vocês na chefatura?

— De tal forma que nos chamam direto. O Sr. Weber acredita piamente em nós.

— Então vamos — disse o príncipe —, nem tudo está perdido. Se o Sr. Lenormand cometeu alguma imprudência que lhe custou a vida, como suponho, fez um bom trabalho e só nos resta continuá-lo. O inimigo tem boa dianteira, mas chegaremos lá.

— Teremos trabalho, chefe.

— Por quê? Basta simplesmente encontrar o velho Steinweg, pois é ele quem tem a chave do enigma.

— Onde Ribera terá escondido o velho Steinweg?

— Em sua casa, é claro.

— É preciso saber então onde ele mora.

— O quanto antes.

Tendo se despedido dos dois, dirigiu-se à casa de repouso. Automóveis estacionavam na porta e dois homens iam e vinham como se vigiassem.

No jardim, perto do pavilhão da Sra. Kesselbach, percebeu, sentados num banco, Geneviève, Pierre Leduc e um senhor forte, usando monóculo. Os três conversavam. Nenhum deles o viu.

Mas o grupo saía do pavilhão. Eram o Sr. Formerie, o Sr. Weber, um escrivão e dois inspetores. Geneviève entrou, o senhor de monóculo dirigiu a palavra ao juiz e ao subchefe da Sûreté, e afastou-se lentamente com eles.

Sernine aproximou-se do banco onde Pierre Leduc estava sentado e murmurou:

— Não se mexa, Pierre Leduc, sou eu.

— O senhor!... O senhor...

Era a terceira vez que o jovem via Sernine depois da horrível noite de Versalhes e a cada vez ficava mais transtornado.

— Responda... Quem é o homem do monóculo?

Pierre Leduc, pálido, balbuciava. Sernine apertou-lhe o braço.

— Responda... vamos! Quem é ele?

— O Barão Altenheim.

— De onde vem ele?

— É um amigo da Sra. Kesselbach. Chegou da Áustria há seis dias e colocou-se à sua disposição.

Os outros tinham saído do jardim juntamente com o Barão Altenheim.

— O barão o interrogou?

— Sim, bastante. Meu caso lhe interessa. Ele quer ajudar-me a encontrar minha família e procura saber minhas recordações da infância.

— E o que você disse?

— Nada, uma vez que não sei nada. Poderia ter alguma lembrança? O senhor me pôs no lugar de um outro e eu nem mesmo sei quem é esse outro.

— Eu também não — escarneceu o príncipe —, eis aí a parte mais curiosa do seu caso.

— Ah! Está rindo... sempre está rindo... Mas eu começo a me aborrecer... Estou envolvido em várias coisas estranhas... sem contar o perigo que certamente corro ao passar por alguém que não sou eu.

— Como não é? Você é tão duque quanto eu sou príncipe... Talvez até mais... E além disso, se você ainda não é, torne-se, caramba! Geneviève só pode casar-se com um duque. Olhe-a... Geneviève não merece que você venda a alma pelos seus belos olhos?

Ele nem o olhou, indiferente ao que ele pensava. Haviam voltado e junto aos degraus, Geneviève aparecia, graciosa e sorridente.

— Já voltou? — perguntou ao príncipe. — Ah! Tanto melhor! Estou contente... quer ver Dolores?

Logo depois, levou-o ao quarto da Sra. Kesselbach. O príncipe teve um sobressalto. Dolores estava ainda mais pálida, mais abatida do que no último dia em que a viu. Deitada num divã, envolvida em cobertas brancas, parecia um desses doentes que se entregam, que desistem da luta. Era pela vida que ela não lutava mais, contra o destino que a atormentava com seus golpes.

Sernine olhava-a com uma profunda piedade e com uma emoção que não procurava dissimular. Ela agradeceu o apoio que lhe dava. Falou também do Barão Altenheim, em termos amigáveis.

— Já o conhecia há muito tempo? — perguntou ele.

— De nome sim, através de meu marido, com quem ele era muito ligado.

— Certa vez encontrei um Altenheim que morava na rua Daru. Será o mesmo?

— Oh! não; este mora... Aliás, nem sei com certeza, ele me deu seu endereço mas não o guardei...

Depois de alguns instantes de conversação, Sernine despediu-se. Geneviève o esperava.

— Tenho que falar-lhe — disse ela — de coisas graves... Já o viu?

— Quem?

— O Barão Altenheim... mas este não é o seu nome... ou pelo menos ele usa outro... eu o reconheci... sem que ele percebesse nada...

Levou-o para fora e andava agitada.

— Calma, Geneviève...

— É o homem que quis me raptar... Se não fosse esse pobre Sr. Lenormand, eu estaria perdida... Vejamos, o senhor deve saber, o senhor que sabe de tudo.

— Então qual é o nome verdadeiro dele?

— Ribera.

— Tem certeza?

— Ele tentou mudar suas feições, seu sotaque, suas maneiras, mas adivinhei mal o vi, tal o horror que me inspira. Mas não disse nada até sua volta.

— Não disse nada também à Sra. Kesselbach?

— Não. Ela parecia tão feliz encontrando um amigo de seu marido... Mas o senhor falará com ela, não? O senhor a defenderá... Não sei o que ele prepara contra ela, contra mim... Agora que o Sr. Lenormand não está mais aqui, ele não teme ninguém, está seguro. Quem poderá desmascará-lo?

— Eu. Respondo por tudo. Mas não diga nada a ninguém sobre isso.

Chegaram diante do cubículo da portaria. A porta abriu-se.

O príncipe disse ainda:

— Adeus, Geneviève, e sobretudo mantenha-se tranquila. Eu estarei por perto.

Fechou a porta e voltou-se, tendo subitamente um movimento de recuo. À sua frente estava o Barão Altenheim. Olharam-se dois ou três segundos em silêncio. O barão sorriu. Disse:

— Eu o esperava, Lupin.

Apesar de seu autocontrole, Sernine estremeceu. Vinha para desmascarar seu adversário e era o seu adversário que o desmascarava no primeiro lance. E ao mesmo tempo esse adversário se oferecia para a luta, ousadamente, desafiadoramente, como se estivesse certo da vitória. O gesto era atrevido e vinha provar sua grande coragem.

Os dois homens se olharam, medindo-se, ameaçadores.

— E então? — disse Sernine.

— Então, não pensa que deveríamos ter um encontro?

— Por quê?

— Quero falar-lhe.

— Quando? Em que dia?

— Amanhã. Almoçaremos juntos no restaurante.

— Por que não em sua casa?

— Você não sabe meu endereço.

— Sei.

O príncipe catou rapidamente um jornal que sobressaía do bolso de Altenheim, jornal que trazia ainda a etiqueta com o endereço, e disse:

— 29, Vila Dupont.

— Muito bem — disse o outro. — Pois então amanhã em minha casa.

— Amanhã em sua casa. A que horas?

— Uma hora.

— Lá estarei. Minhas homenagens.

Iam separar-se. Altenheim parou:

— Ah! Uma palavra ainda, príncipe. Vá armado.

— Por quê?

— Tenho quatro empregados e você estará só.

— Tenho meus punhos — disse Sernine. — A luta será igual.

Deu-lhe as costas, mas depois, voltando-se, o aconselhou:

— Ah! Uma palavra ainda, barão. É melhor que contrate mais quatro empregados.

— Por quê?

— Pensei melhor; levarei meu chicote.

* * *

Exatamente à uma hora, um cavaleiro cruzava o portão da Villa Dupont, uma rua provinciana pacífica cuja única saída dá para a rue Pergolèse, a poucos passos da avenue du Bois.

Jardins e belas mansões a ladeavam. No final, era fechada por uma espécie de pequeno parque onde existia uma velha casa grande, ao lado da qual passava a estrada de ferro de Ceinture. Era ali, no número 29, que morava o Barão Altenheim.

Sernine jogou as rédeas de seu cavalo a um empregado que mandara na frente e disse:

— Você o traz de volta às duas e meia.

Bateu. A porta do jardim estava aberta e dirigiu-se para a escadaria, onde o esperavam dois grandes empregados, de libré, que o fizeram entrar em um imenso vestíbulo de pedra, frio e sem o menor ornamento. A porta fechou-se às suas costas com um ruído surdo e apesar de sua coragem, teve a penosa impressão de sentir-se só, cercado de inimigos nesta prisão isolada.

— Anunciem o príncipe Sernine.

O salão era perto. Fizeram com que entrasse.

— Ah! Finalmente ei-lo aqui, meu caro príncipe — disse o barão vindo ao seu encontro.

— Pois bem... Dominique, o almoço dentro de vinte minutos... Até lá queremos ficar sós. Acredite, meu caro príncipe, não esperava que realmente viesse.

— Por quê?

— Bolas! A sua declaração de guerra esta manhã é tão clara que toda entrevista se torna inútil.

— Minha declaração de guerra? O barão abriu um exemplar do *Grand Journal* e apontou com o dedo um artigo intitulado: *Comunicado.*

"O desaparecimento do Sr. Lenormand não aconteceu sem mover Arsène Lupin. Após uma investigação sumária, e seguindo seu projeto para esclarecer o caso Kesselbach, Arsène Lupin decidiu que encontraria o Sr. Lenormand vivo ou morto, e que ele levaria à justiça o(s) autor(es) desta abominável série de crimes."

— Não é seu este comunicado, meu caro príncipe?

— Tem razão, é meu.

— Portanto, eu estava certo, é a guerra.

— É.

Altenheim mandou que Sernine se sentasse, sentou-se também, e disse num tom conciliador:

— Pois bem, não posso admitir tal coisa. É impossível que dois homens como nós lutem entre si, ambos se prejudicando. Basta que nos expliquemos, procuremos os melhores meios: fomos feitos para nos entendermos.

— Muito ao contrário, creio que homens como nós não foram feitos para se entenderem.

O outro conteve um gesto de impaciência e prosseguiu:

— Ouça, Lupin...

A propósito, você me permite que eu o chame de Lupin?

— E como eu o chamarei? Altenheim, Ribera ou Parbury?...

— Oh! Oh! vejo que está mais informado do que eu esperava!

— Caramba, você ataca bem... Mais uma razão para que nós nos entendamos.

E debruçando-se em sua direção:

— Escute, Lupin, pense bem nas minhas palavras, não há nenhuma que eu não tenha considerado bem. Aqui... Nós dois somos fortes... Você sorri? É errado...

Você pode ter recursos que eu não tenho, mas eu tenho alguns que você não conhece. Além disso, como você sabe, não há muitos escrúpulos... habilidade... e uma capacidade de mudar a personalidade que um mestre como você deveria apreciar. Em suma, os dois adversários são iguais. Mas resta uma pergunta: por que somos adversários? Estamos perseguindo o mesmo objetivo, você dirá? E depois? Você sabe o que acontecerá com nossa rivalidade? É porque cada um de nós paralisará os esforços e destruirá o trabalho do outro, e ambos perderemos! Para benefício de quem? De algum Lenormand, de um terceiro ladrão... É muito estúpido.

— Tem razão, é mesmo uma estupidez — admitiu Sernine. Mas há um meio.

— Qual?

— Saia.

— Não brinque. É sério. A proposta que vou fazer é dessas que não se recusam antes de examiná-las. Resumo em duas palavras: unir forças.

— Oh! oh!

— Claro, ficaremos livres, cada qual por seu lado. Mas, para o caso em questão, conjugaremos nossos esforços. De acordo? Apertemos as mãos e dividiremos tudo entre nós dois.

— E você entra com o que nessa sociedade?

— Eu?

— Sim. Você sabe bem o que valho, já o provei diversas vezes. No acordo que propõe, conhece, por assim dizer, o meu dote... Qual é o seu?

— Steinweg.

— É pouco.

— É enorme. Por Steinweg saberemos a verdade sobre Pierre Leduc. Através de Steinweg, saberemos de tudo sobre o famoso projeto Kesselbach. Sernine deu uma gargalhada:

— E precisa de mim para isso?

— Como?

— Vejamos, meu caro, seu oferecimento é pueril. Já que Steinweg está em suas mãos, se deseja minha colaboração é que você não conseguiu fazer com que ele falasse. Caso contrário, não iria precisar dos meus serviços.

— E então?

— Então, eu recuso!

Os dois homens se puseram de pé, implacáveis e violentos.

— Recuso — repetiu Sernine. — Lupin não tem necessidade de ninguém para agir. Sou desses que preferem agir só. Se você fosse igual a mim, como pretende ser, nunca teria tido a ideia de uma associação. Quando se nasce para chefiar, comandamos. Unir-se é obedecer. Eu não obedeço.

— Você recusa? Você recusa? — repetiu Altenheim indignado.

— O máximo que posso fazer por você, meu caro, é oferecer-lhe um lugar em meu grupo. Um simples soldado, para começar. Sob minhas ordens verá como um general ganha uma batalha... e como ele embolsa o saque, sozinho, para ele apenas. Isso interessa, soldado?

Altenheim rangeu os, dentes, fora de si:

— Está errado, Lupin... está errado... Eu também não preciso de ninguém e esse caso não me dará mais trabalho do que um punhado de outros que resolvi totalmente... O que eu dizia era para apressar uma solução sem que tivéssemos aborrecimentos.

— Você não me aborrece — disse Lupin.

— Ora, vamos! Se não nos associamos, um de nós chegará ao fim.

— Está bom assim.

— O fim só vai acontecer depois que um passar sobre o cadáver do outro. Está pronto para essa espécie de duelo, Lupin?... duelo mortal, entende? Uma facada é um meio que você despreza, mas que me diz de receber uma, Lupin, em plena garganta?

— Ah! ah! Finalmente eis o que me propõe?

— Não, não gosto muito de sangue... Olhe minhas mãos, os meus punhos... eu bato... derrubo... tenho golpes meus... Mas o outro mata... lembre-se... o pequeno ferimento na garganta... Ah! Quanto a este, tome cuidado, Lupin... Ele é terrível e implacável... Nada pode detê-lo.

Pronunciou tais palavras em voz baixa e com tal emoção que Sernine teve um arrepio com a lembrança do desconhecido.

— Barão, — riu-se ele —, até parece que você tem medo do seu cúmplice!

— Tenho medo pelos outros, por aqueles que estarão em seu caminho, por você, Lupin. Aceite ou está perdido. Eu mesmo, se preciso for, agirei. O fim está tão perto... Resolva... Lupin!

Estava tão irritado e com tanta energia, tão brutal, que parecia disposto a agredir o inimigo ali mesmo. Sernine deu de ombros.

— Que fome estou sentindo! — disse ele bocejando — Como se come tarde em sua casa! A porta se abriu.

— O almoço está servido — anunciou o empregado.

— Ah! Finalmente uma boa notícia!

Na soleira da porta, Altenheim pegou-lhe o braço e sem se importar com a presença do criado:

— Um bom conselho... aceite. A hora é grave... E essa é a melhor solução, eu juro, é a melhor... Aceite...

— Caviar! — exclamou Sernine. — Ah! É muita gentileza... Lembrou-se de que trata com um príncipe russo.

Sentaram-se frente a frente e um enorme cachorro de pelos prateados, tomou lugar entre eles.

— Apresento-lhe Sirius, meu mais fiel amigo.

— Um compatriota — disse Sernine. — Nunca esquecerei aquele que o czar me presenteou quando tive a honra de salvar-lhe a vida.

— Ah! Teve essa honra... uma conspiração terrorista, sem dúvida?

— Sim, uma conspiração que eu mesmo organizei. Imagine só que esse cão se chamava Sebastopol...

O almoço continuou alegre, Altenheim havia recuperado seu bom humor e os dois homens explodiram em espírito e cortesia. Sernine contou anedotas às quais o barão respondeu com outras anedotas, e eram contos de caça, esporte, viagens, para os quais os nomes mais antigos da Europa, grandes da Espanha, senhores ingleses retornavam em todos os tempos, magiares húngaros, arquiduques austríacos.

— Ah! — disse Sernine, que lindo trabalho é o nosso! Isso nos coloca em contato com tudo o que há de bom na terra. Aqui, Sirius, um pouco daquela ave trufada.

O cão não o perdia de vista, comendo de uma só vez tudo o que Sernine lhe oferecia.

— Um copo de Chambertin, príncipe?

— Obrigado, barão.

— Eu o recomendo, vem da adega do rei Leopoldo.

— Um presente?

— Sim, um presente que ofereci a mim mesmo...

— É delicioso... que buquê!... Com este patê de fígado, é um verdadeiro achado. Meus cumprimentos, barão, seu chef é de primeira ordem.

— Esse chef, príncipe, é uma cozinheira. Tomei-a a preço de ouro de Levraud, o deputado socialista. Veja, prove este sorvete de cacau quente, e chamo sua atenção para os bolos secos que o acompanham. Uma invenção genial, esses doces.

— São pelo menos bonitos — disse Sernine ao se servir. — Se o seu sabor corresponder à aparência... Tome, Sirius, vai adorar isto. Locust não teria feito melhor.

Rapidamente, pegou um dos doces e ofereceu-o ao cão. Este engoliu-o de uma só vez, ficou dois ou três segundos como estupidificado, e depois, rodando sobre si mesmo, caiu fulminado.

Sernine se afastou para não ser flagrado por um dos empregados e pôs-se a rir:

— Diga, barão, quando quiser envenenar um de seus amigos, faça com que sua voz permaneça calma e que suas mãos não tremam... Assim eles desconfiam... Mas eu pensava que abominasse o assassinato.

— Com uma facada sim — Altenheim disse sem se perturbar. — Mas sempre tive vontade de envenenar alguém. Queria saber que gosto teria isso.

— Diabo! Você sabe escolher suas vítimas. Um príncipe russo!

Aproximou-se de Altenheim e lhe disse em tom confidencial:

— Sabe o que aconteceria se tivesse tido sucesso, quer dizer, se meus amigos não me vissem chegar até as três da tarde, no máximo? Pois bem, às três e meia o chefe de polícia saberia exatamente quem é o Barão Altenheim, e o mesmo seria apanhado antes do fim da tarde e recolhido à cadeia.

— Bah! — disse Altenheim. — Da prisão podemos fugir... mas não se volta do reino dos céus, para onde eu o mandaria.

— Evidentemente, mas é preciso antes de mais nada que me envie, o que não é nada fácil.

— Bastaria uma dentada em um desses doces.

— Tem certeza?

— Experimente.

— Decididamente, meu caro, você não tem ainda o estofo de um mestre da Aventura, e sem dúvida nunca terá, já que pretende apanhar-me em tais armadilhas. Acreditamos ser dignos de levar a vida que temos a honra de levar, devemos ser capazes e portanto estamos prontos para todas as eventualidades... até mesmo quando um pulha tenta envenenar-nos... Uma alma intrépida num corpo inatacável. Lembre-se do Rei Mitridate.

E voltando a sentar-se:

— Comamos, agora? Mas como gosto de provar as virtudes que julgo ter, e por outro lado porque não quero que a cozinheira fique aborrecida, passe-me esse prato de doces.

Pegou um, partiu-o em dois e estendeu metade ao barão:

— Coma!

O outro teve um gesto de recuo.

— Maricas! — disse Sernine.

E ante os olhos espantados do barão e seus empregados, comeu a primeira, depois a segunda metade do doce, tranquilamente, conscienciosamente, como se come uma guloseima da qual não se quer perder uma só migalha.

* * *

Eles se encontraram novamente. Na mesma noite, o príncipe Sernine convidou o Barão Altenheim a ir ao Cabaré Vatel e ofereceu-lhe um jantar com um poeta, um músico, um financista e duas belas atrizes, sócias do Théâtre Français.

No dia seguinte almoçaram no Bois e à noite se encontraram na Ópera. Parecia até que um não poderia passar sem o outro e que uma grande amizade os unia, feita de confiança e simpatia.

E todos os dias, durante uma semana, estiveram juntos. Divertiam-se bastante, bebiam bons vinhos, fumavam excelentes charutos e riam como crianças.

Na realidade eles se espionavam ferozmente. Inimigos mortais, separados por um ódio selvagem, cada um deles certo de vencer e desejando isso com uma vontade decisiva, esperavam apenas o momento propício, Altenheim para matar Sernine, e Sernine para precipitar Altenheim no abismo que se cavava a seus pés. Ambos sabiam que o desenlace não podia demorar. Um deles aí deixaria sua pele e era uma questão de dias.

Drama apaixonante, e um homem como Sernine devia deleitar-se com o estranho e poderoso sabor. Conhecer o adversário e viver a seu lado, saber que ao menor passo em falso, a menor imprudência, seria a morte que o esperava, que volúpia!

Um dia, no jardim do clube Cambon, de onde Altenheim também fazia parte, estavam sós na hora do crepúsculo, quando se começa a jantar, no mês de junho, e quando os jogadores habituais da noite ainda não tinham chegado. Passeavam em torno de um relvado ao longo do qual havia, circundado por maciços de arbustos, um muro onde se abria uma pequena porta. E de repente, enquanto Altenheim falava, Sernine teve a impressão de que sua voz se tornava menos firme, quase trêmula. Com o rabo dos olhos observou-o. A mão de Altenheim estava no bolso do casaco e Sernine viu, através da fazenda, essa mão que se crispava no cabo de um punhal, hesitante, indecisa, ora resoluta ora sem força.

Momento delicioso! Iria ele atacar? Quem venceria, o instinto medroso que não ousa, ou a vontade consciente, toda voltada para o ato de matar? O busto espigado, os braços cruzados nas costas, Sernine esperava, com calafrios de aflição e prazer. O barão calara-se e silenciosamente caminhava lado a lado.

— Fira logo! — exclamou o príncipe.

Parou e se voltou para seu acompanhante:

— Fira logo — dizia ele —, é agora ou nunca! Ninguém pode vê-lo. Você pode fugir por essa pequena porta cuja chave, por acaso, está pendurada no muro, e bom-dia, barão... nem visto, nem conhecido... Mas estou pensando, tudo estava combinado... Foi você que me trouxe aqui... E hesita? Mas fira logo!

Olhou-o no fundo dos olhos. O outro estava lívido, trêmulo de energia impotente.

— Maricas! — zombou Sernine. — Nunca farei nada de você. A verdade, quer que lhe diga? Pois bem, eu lhe meto medo. Sim, nunca tem certeza do que pode lhe acontecer quando está comigo. É você quem deve agir e são meus possíveis atos que dominam a situação. Não, decididamente, não será você quem fará empalidecer a minha estrela! Não acabara de falar quando sentiu que era segurado pelo pescoço e puxado para trás. Alguém que se escondia em uma das moitas, perto da pequena porta, o agarrara pela cabeça. Viu um braço que se erguia, armado com uma faca com uma lâmina que brilhava. O braço abaixou-se e a ponta da faca atingiu-o em plena garganta.

Na mesma hora Altenheim pulou sobre ele e rolaram pelo chão. Foi assunto de apenas vinte ou trinta segundos. Por mais forte que fosse, tão bem treinado em lutas, Altenheim cedeu logo, soltando um grito de dor. Sernine levantou-se e correu para a pequena porta que acabara de se fechar sobre uma silhueta escura. Muito tarde! Ouviu o ruído da chave girando na fechadura. Não pôde abri-la.

— Ah! Bandido! — praguejou —, o dia em que eu te encontrar será o dia do meu primeiro crime de morte! Mas, por Deus!...

Retornou, abaixou-se e recolheu os pedaços do punhal que se quebrara contra seu corpo. Altenheim começava a mexer-se. Disse-lhe:

— Pois bem, barão, está melhor? Você não conhecia este golpe, não? É o que eu chamo golpe direto ao plexo solar, quer dizer, que você se apaga como uma vela. É limpo, rápido, indolor... e infalível. Enquanto que uma punhalada?... Bah! Basta que se use uma pequena malha de aço como eu, e zombamos de todos, sobretudo seu camarada, já que ele fere sempre na garganta, o monstro idiota! Tome, veja seu brinquedo favorito... Em pedaços! Estendeu-lhe a mão.

— Vamos, levante-se, barão. Eu o convido a jantar. E lembre sempre o segredo da minha superioridade: uma alma intrépida num corpo intacável.

Novamente nos salões do clube, reservou uma mesa para duas pessoas, sentou-se e esperou a hora de jantar pensando:

— Evidentemente o jogo era divertido, mas tornava-se perigoso. Era preciso terminar... Caso contrário esses animais acabarão por me enviar ao paraíso mais cedo do que espero... O desagradável é que não posso fazer nada contra eles antes de encontrar o velho Steinweg... Porque, no fundo, só existe de interessante o velho Steinweg, e se me agarro ao barão, é com a esperança de conseguir algum indício... Que diabo fizeram eles? Está fora de dúvida que Altenheim está em contato diário com ele, como também até hoje não conseguiram arrancar-lhe qualquer informação sobre o projeto Kesselbach. Mas onde o vê? Onde o esconde? Em casa de amigos? Ou consigo, no 29 da Vila Dupont? Refletiu bastante, depois acendeu um cigarro, deu algumas tragadas e atirou fora. Devia ser um sinal combinado, pois dois jovens vieram sentar-se a seu lado, parecendo não conhecê-lo, mas com quem falou furtivamente.

Eram os irmãos Doudeville, vestidos como dois cavalheiros nesse dia.

— Que é que há, chefe?

— Peguem seis de nossos homens, vão ao 29 da Vila Dupont e entrem.

— Mas como?

— Em nome da lei. Não são inspetores da Sûreté? Uma busca.

— Mas não temos direito...

— Façam assim mesmo.

— E os empregados? Se eles resistirem?

— São apenas quatro.

— Se gritarem?

— Não gritarão.

— Se Altenheim voltar?

— Não chegará antes das dez horas. Eu me encarregarei disso. Vocês têm duas horas e meia. É mais do que o bastante para revirar a casa de alto a baixo. Se encontrarem o velho Steinweg venham me avisar.

O Barão Altenheim aproximava-se e ele foi ao seu encontro.

— Nós jantaremos, não? O pequeno incidente do jardim aguçou meu apetite. A esse respeito, meu caro barão, tenho alguns conselhos a lhe dar...

Sentaram-se à mesa.

Depois da refeição, Sernine propôs uma partida de bilhar, que foi aceita. Terminada a partida, passaram para a sala de bacará. Nesse instante o crupiê anunciava:

— A banca está a cinquenta luíses; ninguém se habilita?

— Cem luíses — disse Altenheim.

Sernine olhou o relógio. Dez horas. Os Doudeville não haviam regressado. Portanto as buscas não tinham dado resultado.

— Banco — disse ele.

Altenheim sentou-se e partiu as cartas.

— Eu dou.

— Não.

— Sete.

— Seis.

— Perdi — disse Sernine.

— Banco de novo?

— Seja — disse o barão.

Distribuiu as cartas.

— Oito — disse Sernine.

— Nove — ganhou o barão.

Sernine voltou-se murmurando para si mesmo:

— Isto me custa trezentos luíses, mas deixa-me tranquilo, com ele preso ao jogo.

Um instante depois, seu automóvel o deixava diante do 29, Vila Dupont, e logo encontrou os Doudeville e seus homens reunidos no vestíbulo.

— Encontraram o velho?

— Não.

— Inferno! Mas ele deve estar em algum lugar! Onde estão os empregados?

— Amarrados, na copa.

— Bem. Não quero ser visto. Partam todos. Jean, fique embaixo, vigiando. Jacques, vamos visitar a casa.

Rapidamente, ele atravessou o porão, o sótão. Ele não parou, por assim dizer, sabendo muito bem que não descobriria em poucos minutos o que seus homens não haviam sido capazes de descobrir em três horas. Mas ele registrou fielmente a forma e a sequência das peças.

Quando terminou, voltou a uma sala que Doudeville lhe indicou como sendo a de Altenheim e examinou-a com atenção.

— Eis o que resolverá meu problema — disse ele levantando uma cortina que tapava um gabinete escuro, cheio de roupas. — Daqui eu vejo todo o quarto.

— E se o barão revistar a casa?

— Por quê?

— Saberá que estivemos aqui, por seus empregados.

— Sim, mas não imaginará que um de nós instalou-se aqui. Pensará que a tentativa falhou e pronto. Assim sendo, eu fico.

— E como sairá?

— Quer saber muito. O essencial é entrar. Vá, Doudeville, feche as portas. Procure o seu irmão e vão embora... Até amanhã... ou antes...

— Ou antes...

— Não se preocupem comigo. Chamarei quando for necessário.

Ele se sentou em uma pequena caixa colocada na parte de trás do armário. Uma fileira quádrupla de roupas penduradas o protegeu. Exceto no caso de investigações, ele obviamente estava lá em segurança.

Dez minutos se passaram. Ele ouviu o trote abafado de um cavalo, perto da villa, e o som de um sino. Um carro parou, a porta do andar de baixo bateu e quase imediatamente ele ouviu vozes, exclamações, todo um boato que ficava mais alto à medida que avançava, provavelmente que um dos presos foi libertado de sua mordaça.

— Estão explicando — pensou ele. — A raiva do barão deve estar no máximo... Compreende agora a razão de minha conduta esta noite, no clube, e que eu o enganei redondamente... Enganei em termos, uma vez que não consegui Steinweg... Eis a primeira coisa que ele vai confirmar: será que encontraram Steinweg? Para saber, tem que ir ao seu esconderijo. Se subir, é que ele está em cima. Se descer, ele está no subsolo.

Escutou. O som de vozes continuava nos cômodos do térreo, mas não parecia que alguém se movimentasse. Altenheim devia estar interrogando seus acólitos. Somente depois de uma meia hora Sernine ouviu passos que subiam a escada.

— Deve então ser em cima — murmurou consigo mesmo —, mas por que demoram tanto?

— Vão todos dormir — disse a voz de Altenheim.

O barão entrou no quarto com um dos seus homens e fechou a porta.

— Eu também, Dominique, vou me deitar. Poderemos discutir a noite inteira sem chegar a um resultado.

— Para mim — disse o outro — eles vieram à procura de Steinweg.

— É o que penso também, e por isso, no fundo, acho graça, pois Steinweg não se encontra aqui.

— Mas, finalmente, onde está ele? O que fez o senhor com ele?

— Este é o meu segredo e você sabe que meus segredos eu guardo para mim. Tudo que posso lhe dizer é que a prisão é boa e ele só sairá depois de falar.

— Então — murmurou — foi o príncipe?

— Pode ser. E tem mais, ele teve que perder no jogo para chegar a este belo resultado... Sinceramente, como me divirto!... Desafortunado príncipe!...

— Não importa — disse o outro. — É preciso que nos livremos dele.

— Fique tranquilo, meu velho, isto não demorará muito. Antes de oito dias eu lhe oferecerei uma carteira de notas, fabricada com a pele de Lupin.

— Vou dormir, pois estou caindo de sono.

Um ruído de porta que se fecha. Depois Sernine ouviu o barão passar o ferrolho, esvaziar os bolsos, dar corda no relógio e despir-se.

Estava alegre, assobiava e cantarolava, falando a si mesmo em voz alta.

— Sim, da pele de Lupin... e antes de oito dias... antes de quatro dias! Em caso contrário será ele que nos pegará, o sacripanta!... Hoje ele perdeu seu tempo com o golpe que tentou dar... O cálculo estava certo, no entanto... Steinweg só poderia estar aqui... Só.

Deitou-se e logo apagou a luz. Sernine se aproximara da cortina que suspendeu ligeiramente e via a vaga claridade da noite que se filtrava pelas janelas, deixando a cama em profunda escuridão.

— Decididamente, sou eu o imbecil — murmurou para si mesmo. — Fui apanhado em meu próprio golpe. Logo que ele adormeça e ronque, fugirei...

Mas um ruído abafado, um ruído que não podia precisar a natureza e que provinha da cama, despertou sua atenção. Era uma espécie de rangido, apenas perceptível.

— Pois bem, Steinweg, como é que estamos? Era o barão quem falava!

Não havia nenhuma dúvida de que a voz fosse sua, mas como poderia ele falar a Steinweg, uma vez que Steinweg não se encontrava no quarto? E Altenheim prosseguia:

— Continua intratável?... Sim?... Imbecil! De qualquer forma terá que contar o que sabe... Não?... Boa noite então, e até amanhã.

— Estou sonhando, estou sonhando — dizia a si mesmo Sernine. — Ou talvez seja ele que está falando em sonhos. Vejamos, Steinweg não está a seu lado, nao está no quarto vizinho... Nem mesmo está na casa. Altenheim disse... Então que diabo de perturbadora história é essa? Hesitou. Ia saltar sobre o barão, segurá-lo pela garganta e obter pela força e pela ameaça o que não obtivera pela astúcia? Absurdo! Altenheim nunca se deixaria intimidar.

— Vamos, é melhor partir — murmurou para si mesmo. — Foi apenas uma noite perdida.

Mas não partiu. Sentia que era impossível sair, que devia esperar, pois o acaso poderia vir em seu socorro.

Dependurou com infinitos cuidados quatro ou cinco roupas, estendeu-as no chão, e aí se instalou, com as costas apoiadas na parede, e dormiu tranquilamente.

O barão não acordou cedo. Um relógio, em alguma parte da casa, bateu nove pancadas quando ele se levantou e chamou seu empregado.

Leu a correspondência que lhe foi trazida, vestiu-se sem dizer palavra e pôs-se a escrever cartas, enquanto o empregado pendurava no gabinete, cuidadosamente, as roupas usadas na véspera, e Sernine com os punhos cerrados pensava:

— Vejamos se será necessário quebrar o plexo solar desse indivíduo.

Às dez horas o barão ordenou:

— Pode ir embora.

— Ainda falta este colete...

— Vá embora, já disse. Voltará quando eu chamar... nunca antes.

Fechou a porta depois da saída do empregado, esperou um pouco como alguém que não tem confiança nos outros e, aproximando-se de uma mesa onde estava um telefone, tirou o fone do gancho.

— Alô... senhorita, é favor ligar-me com Garches... Isso, senhorita, eu espero.

Ficou ao lado do aparelho.

Sernine tremeu de impaciência. O barão iria comunicar-se com seu misterioso companheiro de crimes? A campainha tocou.

— Alô — disse Altenheim. — Ah! é de Garches?... perfeito... Senhorita, eu quero o número 38... Sim, 38, duas vezes quatro...

Ao fim do alguns segundos, em voz mais baixa, tão baixa quanto possível, falou:

— Número 38?... Sou eu, sem palavras desnecessárias... Ontem?... Sim, você o perdeu no jardim... Outra hora, claro... mas é urgente... ele mandou revistar a casa à noite... Vou te contar... Nada encontrado, claro... O quê?... Olá!... Não, o velho Steinweg se recusa a falar... ameaças, promessas, nada adiantou... Olá... Sim, claro, ele sabe que não podemos fazer nada... Não conhecemos o projeto Kesselbach e a história de Pierre Leduc que em parte... só ele tem a palavra do enigma... Ah! Ele vai falar, que eu respondo... e naquela mesma noite sem o que... Eh! o que você quer, tudo ao invés de deixar escapar! Você vê o príncipe roubando de nós! Oh! aquele, em três dias, ele deve ter a conta dele... Você tem uma ideia?... Pois é... a ideia é boa. Oh! Oh! excelente... eu vou cuidar disso... quando nos veremos? Terça, você quer? Está tudo bem. Eu irei na terça... às duas horas...

Desligou o aparelho e saiu. Sernine ouviu-o dando algumas ordens.

— Atenção dessa vez, hein! não se deixem apanhar estupidamente como ontem. Só voltarei à noite.

A pesada porta do vestíbulo se fechou, seguida pela batida da grade do jardim e o som de um cavalo que se afastava. Depois de vinte minutos dois empregados subiram, abriram as janelas e arrumaram o quarto.

Quando saíram, Sernine esperou bastante tempo, até a hora em que deviam estar comendo. Depois, supondo que todos estivessem na cozinha, sentados à mesa, saiu do gabinete e pôs-se a examinar a cama e a parede onde a mesma estava encostada...

— Engraçado — disse ele —, realmente engraçado... Não há nada de particular. O leito não tem um fundo duplo... Debaixo, nenhum alçapão. Vejamos no quarto ao lado.

Silenciosamente passou a outro cômodo. Estava vazio, sem nenhum móvel.

— Não é aqui que está escondido o velho... Na espessura da parede, impossível, é muito fina. Diabo! Não compreendo mais nada! Centímetro por centímetro, examinou o assoalho, a parede, a cama, perdendo tempo em experiências inúteis. Decididamente deveria haver um truque qualquer, talvez até muito simples, mas ele não conseguia descobri- lo.

— A menos — pensou ele — que Altenheim tenha delirado... É a única suposição aceitável. E para verificar, só há um meio: ficar. Assim, ficarei. Aconteça o que acontecer.

Com medo de ser surpreendido voltou a seu esconderijo e não se mexeu mais, sonhando e cochilando, atormentado por uma fome violenta.

O dia passou. E veio a escuridão. Altenheim só regressou depois da meia-noite. Subiu para o quarto, desta vez só, despiu-se e deitou-se imediatamente, como na véspera, apagando a luz.

A mesma espera ansiosa. O mesmo rangido inexplicável. E com a voz zombeteira Altenheim falou:

— E então, como vamos, amigo?... Insultos?... Mas não é isso que esperamos de você! Está enganado. O que preciso são confissões completas, detalhadas, referentes a tudo o que você revelou a Kesselbach... a história de Pierre Leduc... etc. Está claro?...

Sernine escutava com espanto. Desta feita não havia engano possível: realmente o barão se dirigia ao velho Steinweg. Conversa impressionante! Parecia-lhe surpreender o diálogo misterioso entre um vivo e um morto, uma conversa com um ser inominável, respirando em outro mundo, um ser invisível, impalpável, inexistente.

O barão continuou, irônico e cruel:

— Tem fome? Come então, meu velho. Apenas não esqueça que lhe dei de uma vez só toda a provisão de pão e se for roendo algumas migalhas por dia, assim mesmo terá comida apenas para uma semana... Digamos, dez dias! Em dez dias, zás! Não teremos mais o pai Steinweg. A menos que daqui até lá resolva falar. Não? Amanhã veremos isso... Dorme, meu velho.

No dia seguinte, a uma hora, depois de uma noite e uma manhã sem incidente, o príncipe Sernine deixava tranquilamente a Vila Dupont, com a cabeça fraca, as pernas bambas, dirigindo-se para o restaurante mais próximo e aproveitando para resumir a situação:

— Assim, terça-feira próxima Altenheim e o assassino do Palace Hotel têm encontro marcado em Garches, numa casa cujo telefone tem o número 38. Portanto será na terça-feira que entregarei os culpados à prisão e que libertarei o Sr. Lenormand. Na mesma noite será a vez do velho Steinweg e ficarei sabendo se Pierre é ou não o filho de um salsicheiro, e se posso, dignamente, torná-lo marido de Geneviève. Assim seja.

Na terça-feira seguinte, pelas onze horas, Valenglay, presidente do Conselho, chamava o chefe de polícia, o subchefe da Sûreté, o Sr. Weber, e mostrava-lhes uma carta pneumática assinada pelo príncipe Sernine, que acabara de receber.

"Senhor presidente do Conselho: Sabendo de todo o interesse que tem pelo Sr. Lenormand, venho trazer a seu conhecimento alguns fatos que por acaso chegaram ao meu conhecimento.

O Sr. Lenormand está preso na adega da Vila das Glicínias, em Garches, perto da casa de repouso.

Os bandidos do Palace Hotel resolveram assassiná-lo às duas horas de hoje.

Se a polícia necessitar de minha ajuda, estarei à uma e meia no jardim da casa de repouso, ou na casa da Sra. Kesselbach, de quem tenho a honra de ser amigo.

Receba, senhor presidente do Conselho, etc.

Assinado: Príncipe Sernine."

— Isso é muito sério, Sr. Weber. Acrescentarei que devemos ter toda confiança nas afirmativas do príncipe Paul Sernine. Jantei várias vezes com ele. É um homem sério, inteligente...

— Permita-me, senhor presidente — disse o subchefe da Sûreté —, apresentar-lhe uma outra carta que recebi, justamente esta manhã.

— Sobre o mesmo assunto? — Sim.

— Vejamos.

Tomou a carta e leu:

"Senhor,
Fique por esta informado que o príncipe Sernine, que se diz amigo da Sra.
Kesselbach, é Arsène Lupin.
Uma simples prova bastará: Paul Sernine é o anagrama de Arsène Lupin.
São as mesmas letras. Nem uma de menos, nem uma de mais.

Assinado: L. M."

E o Sr. Weber acrescentou, enquanto Valenglay ficava confuso:

— Desta feita, nosso amigo Lupin encontrou um adversário de sua envergadura. Enquanto ele o denuncia, o outro nos serve o mesmo numa bandeja. E eis a raposa presa na armadilha.

— E agora? — perguntou Valenglay.

— Agora, senhor presidente, vamos tratar de apanhar os dois... Para isso mobilizaremos duzentos homens.

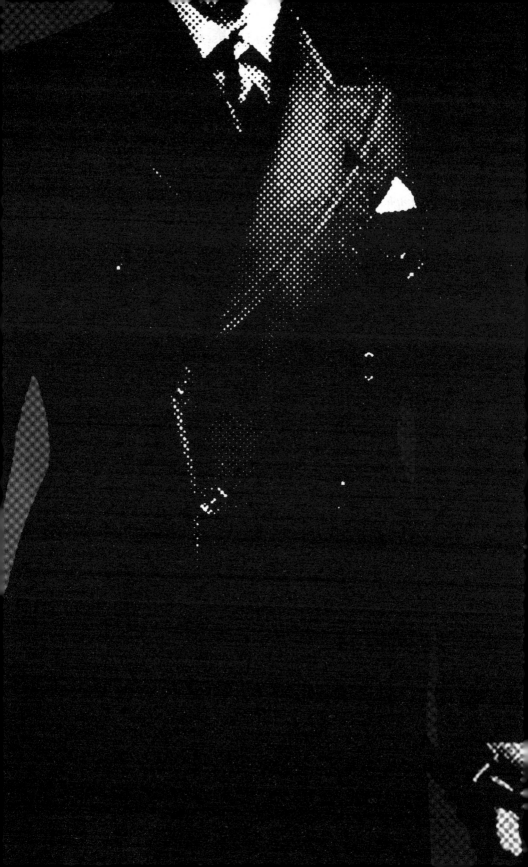

Capítulo 8

O SOBRETUDO OLIVA

Meio-dia e quinze. Um restaurante perto da Madeleine. O príncipe está almoçando. Na mesa ao lado, dois jovens se sentam. Ele os cumprimenta e começa a falar com eles como se estivesse se encontrando com amigos.

— Você está na expedição, não é?

— Sim.

— Quantos homens ao todo?

— Seis, ao que parece. Cada um segue seu próprio caminho. Reunião à uma e quinze com o Sr. Weber perto da casa de repouso.

— Tudo bem, estarei aí.

— O quê?

— Não estou liderando a expedição? E não deveria ser eu quem encontra M. Lenormand desde que anunciei publicamente?

— Então você acha, chefe, que Sr. Lenormand não está morto?

— Tenho certeza. Sim, desde ontem, tenho a certeza de que Altenheim e sua gangue conduziram Sr. Lenormand e Gourel à ponte Bougival e que os jogaram ao mar. Gourel afundou, Sr. Lenormand escapou impune. Fornecerei todas as evidências necessárias quando chegar a hora certa.

— Porque não está livre.

— Será verdade? Ele se encontra mesmo nas galerias da Vila das Glicínias?

— Tudo me leva a pensar assim.

— Mas como sabe?... Que indício?...

— É meu segredo. O que posso anunciar é que o lance teatral será... como direi... sensacional. Acabaram?

— Já.

— Meu carro está atrás da Madeleine. Encontrem-me lá.

Em Garches, Sernine mandou que o carro retornasse e caminharam até a vereda que levava à escola de Geneviève. Ali parou.

— Escutem bem. Prestem atenção pois é da máxima importância. Irão bater na casa de repouso. Como agentes podem fazer isso, não? Irão ao pavilhão Hortênsia, o que está desocupado. Lá descerão ao subsolo e encontrarão um velho postigo que basta abrir para encontrar a boca de um túnel que descobri um dia desses e que se comunica diretamente com a Vila das Glicínias. É por lá que Gertrude e o Barão Altenheim se comunicavam. E foi por lá que o Sr. Lenormand passou um dia, para finalmente cair nas mãos de seus inimigos.

— Acredita nisso, chefe?

— Sim, acredito. E agora, eis como teremos que agir. Vocês vão se assegurar que o túnel está exatamente no estado em que o deixei esta noite, que as duas portas que o fecham estão abertas, e se existe um buraco perto da segunda porta, onde deve haver um pacote embrulhado em sarja preta que foi colocado ali por mim mesmo.

— É preciso abrir o pacote?

— É inútil, é uma muda de roupa. Vão e cuidado para que não prestem muita atenção nos dois. Eu espero.

Dez minutos mais tarde estavam de volta.

— As duas portas estão abertas — disse Doudeville.

— O pacote de sarja preta?

— No seu lugar, perto da segunda porta.

— Perfeito! É uma hora e vinte e cinco. Weber vai chegar com seus campeões. Vigiem a Vila, que deve ser cercada logo que Altenheim entre. Eu, de acordo com Weber, baterei na porta. Aí tenho meu próprio plano. Vamos, acredito que não nos aborreceremos.

E Sernine, tendo se despedido, afastou-se pela vereda da escola, monologando:

— Vai tudo bem. A batalha vai se travar no terreno que escolhi. Eu a ganharei facilmente, me desembaraçarei de meus dois adversários e ficarei como único interessado no caso Kesselbach... só, com meus belos trunfos: Pierre Leduc e Steinweg... E depois, xeque ao Rei, quer dizer, xeque-mate. Há apenas um senão: que poderá fazer Altenheim? Evidentemente, ele tem também seu plano de ataque. Por onde me atacará? E como admitir que até agora não tenha me atacado? Chega a ser inquietante. Terá ele me denunciado à polícia?

Contornou o pequeno pátio da escola, cujos alunos estavam agora em aula, e bateu na porta da entrada.

— Ora, até que enfim! — disse a Sra. Ernemont, abrindo-a. — Deixou Geneviève em Paris?

— Para isso seria preciso que Geneviève tivesse ido a Paris — respondeu ele.

— Mas ela foi, uma vez que você a chamou.

— Que está dizendo? — exclamou ele segurando-lhe o braço.

— Como? Mas você sabe melhor do que eu!...

— Eu não sei nada... não sei nada... fale!

— Não escreveu a Geneviève para ir encontrar com você na estrada Saint-Lazare?

— E ela foi?

— Foi... Deviam almoçar juntos no Ritz...

— A carta... mostre-me a carta.

Ela subiu para procurá-la e entregou-a.

— Mas infeliz, não viu que era uma falsificação? Minha letra está bem imitada... mas é uma falsificação... Isto salta à vista.

Apertou as têmporas com os punhos fechados, raivosamente:

— Eis o golpe que eu temia. Ah! O miserável! É por intermédio dela que me atacam... Mas como saberiam? Não, eles não sabem... É a segunda vez que tentam o mesmo... e é por causa de Geneviève mesmo, porque ele está caído por ela... Oh!

— Isso não, nunca! Escute, Victoire... Tem certeza de que ela não o ama?... Ora essa! Estou perdendo a cabeça! Vejamos... vejamos... é preciso pensar com calma... não é o momento...

Olhou o relógio.

— Uma hora e trinta e cinco... tenho tempo... Imbecil! Tempo de fazer o quê? Se eu nem sei onde ela está?

Ia e vinha como um louco, e sua velha governanta parecia espantada de vê-lo assim tão agitado, tão pouco seguro de si.

— Afinal de contas — disse ela —, não temos prova alguma de que ela não tenha, no último instante, desconfiado de uma armadilha...

— E onde estaria ela?

— Não sei... talvez na casa da Sra. Kesselbach...

— É verdade... é verdade... tem razão — exclamou ele de súbito cheio de nova esperança.

Partiu correndo para a casa de repouso. No caminho, perto da porta, encontrou os irmãos Doudeville que entravam na portaria, de onde poderiam ver os arredores das Glicínias. Sem parar, foi direto ao pavilhão da Imperatriz, chamou Suzanne e foi levado à presença da Sra. Kesselbach.

— Geneviève? — perguntou.

— Geneviève?

— Ela não veio aqui?

— Não, há alguns dias que não vem.

— Mas ela deve vir hoje, não?

— Não sei. Acredita que venha?

— Tenho certeza. Onde poderá ela estar? Procure lembrar-se...

— Não posso saber. Asseguro que Geneviève e eu não nos temos visto mais.

E subitamente assustada:

— Mas o senhor não está pensando algo de mau? Aconteceu alguma coisa a Geneviève?

— Não, nada.

Saiu em seguida. Uma ideia lhe havia ocorrido. Se o Barão Altenheim não estivesse na Vila das Glicínias? Se a hora do encontro houvesse sido mudada?

— É preciso que eu o veja... — dizia a si mesmo —, é preciso, a qualquer preço.

Corria desordenadamente, indiferente a tudo. Mas, diante da portaria, recuperou instantaneamente o sangue-frio: vira o subchefe da Sûreté falando no jardim com os irmãos Doudeville. Se estivesse em seu estado normal, com os nervos controlados, teria surpreendido um leve tremor que agitou o Sr. Weber à sua aproximação. Mas não viu nada.

— Senhor Weber, não? — perguntou ele.

— Sim... a quem tenho a honra?...

— Príncipe Sernine.

— Ah! Muito bem. O senhor chefe de polícia informou-me da considerável ajuda que nos prestou, senhor.

— Essa ajuda não estará completa enquanto eu não lhe entregar os bandidos.

— Isso não vai demorar. Creio que um desses bandidos acaba de entrar... um homem bastante forte, com um monóculo.

— Realmente, é o Barão Altenheim. Seus homens estão aí, Sr. Weber?

— Estão, escondidos na estrada, a duzentos metros de distância.

— Pois bem, Sr. Weber, parece-me que pode reuni-los e trazê-los para diante da portaria. Daí iremos direto à Vila. Eu baterei. Como o Barão Altenheim me conhece, creio que abrirá e entrarei... com o senhor.

— O plano é excelente — disse o Sr. Weber. — Voltarei já.

Saiu do jardim e dirigiu-se pela estrada, do lado oposto à Vila das Glicínias. Rapidamente Sernine pegou pelo braço um dos irmãos Doudeville.

— Corra atrás dele, Jacques... Mantenha-o ocupado... enquanto entro nas Glicínias... E depois retarde o ataque... o mais possível... invente pretextos... Preciso de dez minutos... Que cerquem a Vila mas que não entrem. E você, Jean, coloque-se no pavilhão Hortênsia, na saída do subterrâneo. Se o barão quiser sair por lá, quebre-lhe a cabeça.

Os Doudeville afastaram-se. O príncipe esgueirou-se para fora e correu até uma alta grade, blindada de ferro, que era a entrada da Vila das Glicínias. Bateria na porta? À sua volta, ninguém. De um salto lançou-se contra a grade, apoiando o pé na fechadura e segurando-se nas barras de ferro; apoiou nos joelhos, içou-se à custa dos braços e conseguiu, arriscando-se a cair sobre as pontas agudas das barras, saltar para o outro lado.

Havia um pátio pavimentado que atravessou rapidamente, subiu os degraus com colunas que dava para as janelas, estas todas recobertas até as cornijas, completamente fechadas.

Quando pensava numa forma de entrar na casa, a porta foi entreaberta com um ruído de ferragens que lembrava a entrada da Vila Dupont e Altenheim apareceu.

— Diga-me, príncipe, é dessa forma que entra em propriedades particulares? Assim vou ser obrigado a chamar a polícia, meu caro.

Sernine segurou-o pela garganta e derrubou-o sobre uma banqueta.

— Geneviève... Onde está Geneviève? Se não me disser o que fez com ela, miserável!...

— Lembre-se — gaguejou o barão — que assim não posso falar.

Sernine soltou-o.

— Vamos logo!... E depressa!... Responda... Geneviève?...

— Há uma coisa — replicou o barão — que é muito mais urgente quando se trata de gente como nós, que é estar em casa...

Cuidadosamente empurrou a porta e aferrolhou-a. Depois, conduzindo Sernine ao salão vizinho, um salão sem móveis, sem cortinas, disse-lhe:

— Agora estou às suas ordens. Que posso fazer a seu serviço, príncipe?

— Geneviève?

— Ela está se portando maravilhosamente bem.

— Ah! Você admite?

— Claro! E eu direi mesmo que sua imprudência a esse respeito me espantou. Como deixou de tomar algumas precauções? Era inevitável...

— Basta! Onde está ela?

— Não é delicado.

— Onde está ela?

— Entre quatro paredes, livre...

— Livre?

— Sim, livre de ir de uma parede à outra.

— Na Vila Dupont, sem dúvida? Na prisão que imaginou para Steinweg?

— Ah! Você sabe... Não, ela não está lá.

— Mas onde então? Fale, porque senão...

— Vejamos, meu príncipe, acredita que eu seja tão imbecil para revelar o segredo pelo qual o tenho preso? Você ama a jovem...

— Cale-se! — gritou Sernine fora de si. — Proíbo que fale nisso.

— E daí? Será alguma desonra? Eu a amo também e arrisquei-me bastante...

Não acabou, intimidado pela cólera assustadora de Sernine, cólera contida, silenciosa, que lhe transtornava os traços.

Olharam-se muito tempo, cada um procurando uma falha do adversário. Finalmente Sernine avançou e com voz clara, como um homem que ameaça e não que propõe um pacto, disse:

— Escute-me. Você se lembra do oferecimento de sociedade que me fez? O caso Kesselbach para nós dois... trabalharemos juntos... dividiremos os lucros... Eu recusei... Hoje, agora, eu aceito...

— Agora é tarde.

— Espere. Aceito mais do que isso: abandono o caso... não me meto mais em coisa alguma... você terá tudo... Se quiser, posso lhe ajudar.

— Qual é a condição?

— Diga-me onde está Geneviève.

— Está divagando, Lupin. Isso me entristece... em sua idade...

Nova pausa entre os dois inimigos, terrível. O barão zombou:

— De qualquer forma é uma esplêndida alegria vê-lo assim, choramingando, pedindo uma esmola. Diga-me, estou pensando que aquele simples soldado está prestes a dar uma surra em seu general.

— Imbecil! — murmurou Sernine.

— Príncipe, eu enviarei minhas testemunhas esta noite... se você ainda estiver neste mundo.

— Imbecil! — repetiu Sernine com infinito desprezo.

— Prefere acabar de uma vez. Seja como quiser; meu príncipe, sua hora chegou. Pode recomendar sua alma a Deus. Sorri? É um erro. Tenho sobre você uma vantagem imensa: eu mato... se necessário...

— Imbecil — disse uma vez mais Sernine. Tirou seu relógio.

— Duas horas, barão. Tem apenas poucos minutos. Às duas horas e cinco, duas horas e dez no máximo, o Sr. Weber e uma meia dúzia de homens fortes sem grandes escrúpulos forçarão a porta do seu esconderijo e o apanharão pelo colarinho... Não sorria, você também. A saída com que você conta foi descoberta, eu a conheço, ela está bem guardada. Assim, você está devidamente apanhado. É o cadafalso, meu velho.

Altenheim estava lívido. Balbuciou:

— Você fez isso? Teve a infâmia?...

— A casa está cercada. O ataque é iminente. Fale e eu o salvo.

— Como?

— Os homens que guardam a saída do pavilhão são meus. Darei uma palavra para eles e você estará salvo.

Altenheim refletiu alguns segundos, pareceu hesitar, mas de súbito, resolutamente, declarou:

— É um truque. Você não seria tão tolo de se atirar à boca do lobo.

— Esquece Geneviève. Sem ela você pensa que eu estaria ainda aqui? Fale.

— Não.

— Esperemos — disse Sernine. — Um cigarro?

— Com prazer.

* * *

— Ouve? — disse Sernine após alguns segundos.

— Sim... sim... — disse Altenheim se levantando.

Pancadas ressoavam na grade. Sernine pronunciou:

— Nem mesmo as citações habituais... nenhuma preliminar... Continua decidido?

— Mais do que nunca.

— Você sabe que com as ferramentas que eles têm não levará muito tempo?

— Mesmo que eles estivessem aqui dentro, eu negaria. A grade cedeu.

Ouviram o rangido dos gonzos.

— Deixar-se apanhar, eu admito — retomou Sernine —, mas que se estenda as próprias mãos às algemas, é idiota demais. Vamos, não seja teimoso. Fale e pode fugir.

— E você?

— Eu fico. Que tenho a perder?

— Olhe.

O barão apontava uma fenda através das venezianas. Sernine olhou e recuou com um sobressalto.

— Ah! Bandido. Você também me denunciou! Não são dez homens, são cinquenta, duzentos homens trazidos pelo Weber...

O barão ria francamente:

— Se são tantos é porque se trata de Lupin, evidentemente. Para mim, uma meia dúzia bastava.

— Avisou a polícia?

— Avisei.

— Que provas apresentou?

— Seu nome... Paul Sernine, quer dizer, Arsène Lupin.

— E descobriu isso sozinho?... isso em que nunca ninguém pensou? Ora vamos! Foi o outro, confesse.

Olhou pela fenda. Verdadeiras nuvens de agentes se espalhavam em volta da Vila e agora os golpes ressoavam na porta.

Era preciso pensar ou na fuga ou no projeto que imaginara. Mas afastar-se, ainda que fosse apenas por um instante, era deixar Altenheim, e quem poderia garantir que o barão não tivesse à sua disposição um outro meio de fuga? Esta ideia perturbou Sernine. O barão livre! O barão podendo voltar para o lado de Geneviève e torturá-la ou submetê-la a seu odioso amor! Atrapalhado em seus desígnios, obrigado a improvisar um novo plano no momento, e subordinando tudo ao perigo que ameaçava Geneviève, Sernine passava por uma indecisão atroz. Os olhos fixos nos olhos do barão, queria arrancar seu segredo e partir, e nem procurava mais convencê-lo. E, enquanto refletia, perguntava a si mesmo o que estaria pensando o barão, quais seriam as suas armas, sua esperança de salvação.

A porta do vestíbulo, apesar de fortemente aferrolhada, começava a ceder. Os dois homens estavam diante dessa porta, imóveis. O som de vozes, o sentido das palavras, chegava até eles.

— Parece bem seguro de si — disse Sernine.

— Por minha vida! — exclamou o outro aplicando-lhe uma rasteira que o fez cair, enquanto fugia.

Sernine levantou-se logo, passou por uma pequena porta sob a grande escadaria por onde Altenheim desaparecera, e atirando-se pelos degraus de pedra desceu ao subsolo...

Um corredor, uma sala vasta e baixa, quase obscura, onde o barão estava de joelhos levantando a porta de um alçapão.

— Idiota — exclamou Sernine saltando sobre ele —, você bem sabe que encontrará meus homens ao fim deste túnel e eles têm ordem de matá-lo como a um cão danado... A menos que... a menos que tenha uma outra saída que se abra nessa... É isso! Adivinhei... e você pensa...

A luta era feroz. Altenheim, verdadeiro colosso dotado de musculatura excepcional, apertava seu adversário pela cintura, paralisando-lhe os braços e procurando sufocá-lo.

— Evidentemente... evidentemente... — articulava este com dificuldade — evidentemente estava tudo combinado... Enquanto eu não puder me servir de minhas mãos para quebrá-lo, você terá a vantagem... Mas apenas... poderá?...

Teve um arrepio. O alçapão, que se tinha fechado e sobre cuja tampa lutavam com todo seu peso, o alçapão começava a mover-se debaixo deles. Sentia o esforço que faziam para levantá-lo, e o barão devia sentir também pois tentava, desesperadamente, mudar o local da luta para que o alçapão pudesse ser aberto.

— É o outro! — pensou Sernine com uma espécie de receio irracional que lhe causava esse misterioso ser... — É o outro... Se ele passar, estou perdido! Com movimentos quase insensíveis, Altenheim conseguira se mover e procurava puxar seu adversário. Mas este enganchara suas pernas nas do barão, ao mesmo tempo em que pouco a pouco procurava livrar uma das mãos.

Acima deles, grandes pancadas como golpes de um aríete...

— Tenho cinco minutos — pensou Sernine. — Em um minuto é preciso que este canalha...

E falando alto:

— Atenção, meu caro. Aguenta bem.

Aproximou seus joelhos um do outro com uma energia incrível. O barão deu um urro de dor com uma das coxas torcida.

Sernine, aproveitando o sofrimento de seu adversário, fez um esforço, soltou sua mão direita e agarrou-o pela garganta.

— Perfeito! Assim estamos bem mais à vontade... Não, não perca tempo procurando seu punhal... pois o estrangularei como a um frango. Você vê, estou guardando boas maneiras... Não aperto muito... apenas o suficiente para que não tenha vontade de espernear.

Enquanto falava tirava do bolso uma corda fina, e apenas com uma das mãos, com uma habilidade extrema, amarrava seus pulsos. Quase sem respiração, o barão não opunha nenhuma resistência. Com alguns movimentos precisos, Sernine amarrou-o firmemente.

— Como é sabido! Ainda bem! Não o reconheço mais. Veja bem, para o caso de ainda ter alguma esperança de fugir, eis aqui um rolo de arame que vai completar meu pequeno trabalho... Primeiro, os punhos... Os tornozelos, agora... Aí está... Deus, como está elegante!

O barão voltava a si pouco a pouco.

Balbuciou:

— Se me entregar, Geneviève morrerá.

— De verdade?... E como?... Explique-se...

— Ela está fechada. Ninguém conhece o esconderijo. Eu morrendo, ela morrerá de fome... como Steinweg...

Sernine estremeceu. Retomou.

— Mas você falará.

— Nunca! — Sim, você falará. Não agora, que já é tarde, mas esta noite...

Debruçou-se sobre ele e baixinho, ao ouvido, pronunciou:

— Daqui a pouco você será preso. Esta noite você dormirá na triagem de presos. É fatal, irrevogável. Nem mesmo eu poderei modificar nada. Amanhã será levado à Santé, e depois, sabe para onde?... Pois bem, eu darei a você uma chance de salvação. Esta noite, esta noite, entende, entrarei em sua cela na triagem e você me dirá onde está Geneviève. Duas horas depois, se não mentir, você estará livre. Senão... é porque não dá muita importância à própria cabeça.

O outro não respondeu. Sernine levantou-se e escutou. Lá em cima um grande barulho. A porta de entrada cedia. Passos martelaram o assoalho do salão. O Sr. Weber e seus homens procuravam.

Empurrou seu prisioneiro, de forma a liberar a tampa do alçapão, e levantou-a. Como esperava, não havia mais ninguém embaixo, nos degraus da escada.

Desceu, tendo o cuidado de deixar o alçapão aberto atrás de si, como se tivesse a intenção de voltar.

Havia vinte degraus, depois, embaixo, o começo de um corredor que o Sr. Lenormand e Gourel haviam percorrido em sentido inverso.

Meteu-se por este mesmo corredor e soltou um grito. Pareceu sentir a presença de alguém. Acendeu a lanterna de bolso. O corredor estava vazio.

À destra levou o revólver e disse em voz alta:

— Pior se assim o quer...

Atirarei. Nenhuma resposta. Nenhum ruído.

— É uma ilusão, sem dúvida — pensou ele. — Estou ficando obcecado por esse indivíduo. Vamos, posso me sair bem, alcançar a porta, é preciso apressar-me... O buraco no qual guardei o embrulho com a muda de roupas não pode estar longe. Apanho o embrulho... e o truque está feito. E que truque! Um dos melhores de toda a carreira de Lupin!...

Encontrou uma porta aberta e imediatamente parou. À direita havia uma escavação, a que o Sr. Lenormand fizera para escapar da água que subia.

Abaixou-se e iluminou a abertura.

— Oh! — fez ele com um arrepio... — Não, não é possível... Doudeville deve ter posto o embrulho mais adiante.

Mas foi em vão que procurou, esquadrinhando as trevas. O pacote não estava mais lá e não teve a menor dúvida que fora aquele ser misterioso que o roubara.

— Que pena! Estava tão bem arranjado! A aventura tomava seu curso natural e eu, seguramente, chegaria ao fim e... Agora, trata-se de me safar daqui o quanto antes, correndo... Doudeville está no pavilhão... Minha retirada está assegurada... Chega de brincadeiras... vamos encontrar outra solução, se possível... Depois nos ocuparemos dele... Ah! Ele que trate de ficar longe de minhas garras! Mas uma exclamação de espanto escapou-lhe: chegara à outra porta e essa porta, a última antes do pavilhão, estava fechada. Atirou-se contra ela. O que adiantaria? Que poderia fazer?

— Desta vez — murmurou — estou mesmo perdido. Foi tomado por uma estranha moleza e sentou-se. Tinha consciência de sua fraqueza em face do ser misterioso. Altenheim não contava. Mas o outro, esse personagem das trevas e do silêncio, o outro o dominava, atrapalhava todos os seus planos e cansava-o com seus ataques dissimulados e diabólicos.

Estava vencido.

Weber o encontraria ali, como um animal acuado no fundo de sua caverna.

* * *

— Ah! não, não! — disse ele levantando-se de um salto. — Se fosse apenas eu, talvez!... Mas há Geneviève, Geneviève, a quem é preciso salvar esta noite... Afinal, nem tudo está perdido... Se o outro desapareceu há pouco é porque existe uma segunda saída por perto. Vamos, vamos, Weber e seu bando não me apanharão ainda desta vez.

Já explorava o túnel com a lanterna na mão, estudava os tijolos, quando um grito chegou até ele, um grito horrível, abominável, que fez com que tremesse de aflição.

Viera do lado do alçapão. Lembrou-se que o deixara aberto, já que tinha a intenção de retornar. Apressou-se a voltar, passou pela primeira porta. A caminho, a lanterna tendo-se apagado, sentiu alguma coisa, alguém talvez, roçando seus joelhos, algo se esgueirando junto à parede. E logo teve a impressão de que esse ser desaparecia, se dissipava, não sabia onde. Nesse momento tropeçou em um degrau.

— É aqui a saída — pensou — a segunda saída por onde ele passa.

Em cima soou novamente o grito, mais fraco, seguido de gemidos e estertores... Subiu a escada correndo, chegou ao portão, e precipitou-se para o lugar onde estava o barão. Altenheim agonizava, a garganta em sangue. As cordas estavam cortadas, mas os arames que prendiam seus punhos e tornozelos estavam intactos. Não podendo soltá-lo, seu cúmplice o degolara.

Sernine contemplou o espetáculo horrorizado. Estava molhado por um suor frio. Pensava em Geneviève prisioneira, sem socorro, pois apenas o barão sabia do seu esconderijo.

Nitidamente ouviu os agentes abrirem a pequena porta do vestíbulo. Ouviu-os descendo a escada de serviço.

Apenas uma porta o separava deles, a do porão onde se encontrava. Trancou-a no momento em que os perseguidores seguravam a maçaneta. O alçapão estava aberto do seu lado... Era a única salvação, pois havia ainda uma segunda saída.

— Não! — murmurou para si mesmo —, primeiro Geneviève. Depois, se houver tempo, pensarei em mim.

Ajoelhou-se, pôs a mão no peito do barão. O coração ainda batia.

Inclinou-se mais:

— Está ouvindo, não? As pálpebras bateram fracamente.

Havia ainda um sopro de vida no moribundo. Desse resto de vida poderia tirar alguma coisa? A porta, o último obstáculo, foi atacada pelos agentes.

— Eu o salvarei... tenho remédios infalíveis... Uma palavra apenas...

Geneviève?...

Dir-se-ia que essa palavra de esperança lhe dera novas forças. Altenheim procurou falar.

— Responda — exigia Sernine —, responda que eu o salvo... É a vida hoje, a liberdade amanhã... Responda! A porta tremia sob as pancadas.

O barão articulava sílabas ininteligíveis. Debruçado sobre ele, assustado, com toda a energia e a vontade tensas, Sernine tremia de aflição. Os agentes, sua captura inevitável, a prisão, não pensava nisso... mas Geneviève... Geneviève morrendo de fome, e bastaria uma palavra desse miserável para salvá-la!...

— Responda... é preciso...

Ordenava, suplicava. Altenheim gaguejava como hipnotizado, vencido por essa autoridade indomável.

— Ri... Rivoli...

— Rua de Rivoli, não é? Você a prendeu em uma casa dessa rua... Que número? Uma algazarra, gritos de triunfo... a porta cedera.

— Prendam-no — gritou o Sr. Weber —, apanhem-no!

— O número... responda... Se você a ama, responda... Por que calar-se agora?

— Vinte... vinte e sete... — sussurrou o barão.

Mãos já tocavam em Sernine. Dez revólveres o ameaçavam. Enfrentou os agentes, que recuaram instintivamente com medo.

— Se se mexer, Lupin — gritou o Sr. Weber apontando a arma —, eu atiro.

— Não atire — disse Sernine gravemente —, é inútil, eu me rendo.

— Mentira! É ainda um dos seus truques...

— Não — respondeu Sernine —, a batalha está perdida. Não tem o direito de atirar. Eu não me defendo.

Mostrou dois revólveres, que atirou ao chão.

— Mentira! — repetiu o Sr. Weber implacável.

— Mirem no coração, amigos! Ao menor gesto: fogo! À menor palavra: fogo! Dez homens estavam ali. Em um minuto, quinze. Dirigiu os quinze braços para o alvo. E raivoso, tremendo de alegria e de medo, rangia os dentes:

— No coração! Na cabeça! Nada de piedade! Se ele se mexer, se falar... atirem, fogo! Com as mãos nos bolsos, impassível, Sernine sorria. A duas polegadas de suas têmporas, a morte o ameaçava. Os dedos se crispavam nos gatilhos.

— Ah! — zombou o Sr. Weber — isso é bom de ver... E acreditamos que desta vez acertamos na mosca, e de uma péssima maneira para o Sr. Lupin...

Mandou abrir as venezianas de um grande respiradouro, por onde a claridade do dia entrou bruscamente, e voltou-se para Altenheim. Mas para sua surpresa, o barão, que parecia morto, abriu os olhos, olhos ternos, amedrontados, já perto do fim. Olhou o Sr. Weber. Depois pareceu procurar e percebendo Lupin teve uma convulsão de cólera. Parecia querer despertar do seu torpor, e que seu súbito ódio devolvia-lhe um pouco de suas forças.

— Você o reconhece, não? — disse o Sr. Weber.

— Sim.

— É Lupin, não é?

— Sim... Lupin.

Sempre sorrindo, Sernine escutava.

— Meu Deus, como me divirto! — declarou ele.

— Não tem mais nada a dizer? — perguntou o Sr. Weber vendo os lábios do barão se agitarem desesperadamente.

— Sim.

— A respeito do Sr. Lenormand, talvez?

— É.

— Você o prendeu? Onde? Responda...

Procurando levantar-se com grande esforço, com um olhar Altenheim designou um armário no canto da sala.

— Ali... ali... — disse ele.

— Ah! ah! Estamos chegando — zombou Lupin.

O Sr. Weber abriu o armário. Numa das prateleiras um pacote envolvido em sarja preta. Abriu-o e encontrou um chapéu, uma pequena caixa, roupas... Estremeceu. Tinha reconhecido o sobretudo oliva do Sr. Lenormand.

— Ah! Os miseráveis! — exclamou ele, — eles o assassinaram.

— Não — fez Altenheim com um sinal.

— Então?

— Foi ele... Ele!

— Como ele?... Foi Lupin quem matou o chefe?

— Não.

Altenheim se agarrava à vida, ávido por falar e acusar... O segredo que queria revelar estava na ponta da língua, mas não sabia como transformá-lo em palavras.

— Vejamos — insistiu o subchefe —, o Sr. Lenormand está mesmo morto?

— Não.

— Está vivo?

— Não.

— Não compreendo... Vejamos, estas roupas? Este sobretudo?...

Altenheim voltou os olhos para Sernine. O Sr. Weber teve uma ideia.

— Ah! Compreendo! Lupin roubou estas roupas do Sr. Lenormand e esperava usá-las para fugir.

— Sim... sim...

— Nada mal! — disse o subchefe. — É bem um golpe ao seu feitio. Nesse cômodo encontraríamos um Lupin disfarçado no Sr. Lenormand, na certa amarrado.

Seria a salvação para ele... Apenas não teve tempo. É isso mesmo?

— Sim... sim...

Sr. Weber sentiu, pelo olhar do moribundo que havia algo mais e que o segredo não era apenas aquele. Que seria então? Que seria o estranho e indecifrável enigma que o moribundo queria revelar antes de morrer?

Interrogou-o:

— E o Sr. Lenormand, onde está?

— Ali...

— Como ali?...

— Sim.

— Mas só estamos nós neste cômodo! Não há mais ninguém!

— Há... há...

— Fale de uma vez...

— Há... Ser... Sernine...

— Hein? Sernine? O quê?

— Sernine... Lenormand...

O Sr. Weber saltou. Uma luz súbita aparecia.

— Não, não é possível — murmurou —, é uma loucura.

Espiou o prisioneiro. Sernine parecia divertir-se muito e assistir à cena como um espectador que quer saber como acabará tudo aquilo.

Cansado. Altenheim voltara a se esticar de comprido. Iria morrer antes de dar a chave do enigma apresentado em palavras tão obscuras?

O Sr. Weber, chocado por uma hipótese absurda, inacreditável, à qual não queria dar crédito, voltou a perguntar:

— Explique melhor... O que há de escondido? Que mistério?

O outro não parecia ouvi-lo, inerte, os olhos fixos. O Sr. Weber se debruçou sobre ele e pronunciando bem as palavras, de forma que cada sílaba penetrasse nessa alma já afogada nas sombras, disse:

— Escute... compreendi bem, não? Lupin é o Sr. Lenormand?

Foi preciso esforçar-se para continuar, de tal forma a frase parecia monstruosa. Entretanto, os olhos turvos do barão pareciam contemplá-

-lo com angústia. Terminou, palpitante de emoção, como se estivesse blasfemando:

— É isto o que se passa? Tem certeza? Os dois são a mesma pessoa?

Os olhos não se mexiam mais. Um filete de sangue escorria pelo canto da boca... Dois ou três soluços... Uma convulsão final. Foi tudo. No porão cheio de gente houve um grande silêncio. Quase todos os agentes que seguravam Sernine tinham-se voltado, estupefatos, sem compreender ou se recusando a isso, e esperavam ouvir ainda a espantosa acusação que o bandido não pudera formular.

Weber tomou a caixa encontrada no embrulho de sarja preta e abriu-a. Ela continha uma peruca grisalha, óculos com hastes de prata, uma echarpe marrom, num fundo falso alguns potes de maquilagem, e num compartimento pequenos anéis de cabelo grisalho — em suma, tudo para disfarçar-se como o Sr. Lenormand.

Aproximou-se de Sernine e contemplando-o alguns instantes sem dizer nada, pensativo, reconstituindo todas as fases da aventura, murmurou:

— Então é verdade?

Sernine, que não perdera a calma, sorrindo replicou:

— A hipótese não deixa de ter sua graça e atrevimento. Mas antes de mais nada, diga a seus homens para deixarem-me em paz com suas armas.

— Seja — aceitou o Sr. Weber fazendo sinal a seus homens. — Agora responda.

— O quê?

— É o Sr. Lenormand?

— Sou.

Ouviram-se exclamações. Jean Doudeville, que estava a li enquanto seu irmão vigiava a saída secreta, Jean Doudeville, o próprio cúmplice de Sernine, olhava-o espantado. O Sr. Weber, sufocado, estava indeciso.

— Isto lhe espanta, hein? — disse Sernine.

— Confesso que é engraçado... Meu Deus, como você me fez rir algumas vezes quando trabalhávamos juntos, você e eu, o chefe e o subchefe!... E o mais engraçado é que você acreditava morto este bravo Lenormand... morto como o pobre Gourel.

— Mas não, não, não, meu velho, o pequeno homem vivia ainda...

Mostrou o cadáver de Altenheim.

— Veja, este bandido que me atirou no rio, dentro de um saco, junto com uma pesada pedra. Apenas ele esquecera de tirar minha faca... E com ela cortamos sacos e cortamos cordas. Veja esse infeliz Altenheim... Se houvesse pensado nisso, não estaria onde está... Mas estamos falando demais... Paz a suas cinzas!

Weber escutava, não sabendo o que pensar. Finalmente teve um gesto de desespero, como se renunciasse a qualquer opinião racional.

— As algemas — disse de repente alarmado.

— Isto é tudo que diz? — falou Sernine. — Você não tem imaginação...

— Enfim, se isto é do seu agrado...

E vendo Doudeville na primeira fila de seus agressores, estendeu-lhe as mãos:

— Tome, amigo, a você a honra e não se assuste... Jogo francamente... pois não há jeito de jogar de outra maneira...

Dizia isso num tom que fez com que Doudeville compreendesse que a luta, momentaneamente, estava acabada e que ele devia também se submeter. Doudeville passou-lhe as algemas. Sem mexer com os lábios, sem uma contração no rosto, Sernine cochichou:

— 27, Rua de Rivoli... Geneviève.

Weber não pôde reprimir um movimento de satisfação à vista de tal espetáculo.

— A caminho! — disse ele. — À Sûreté!

— É isto, à Sûreté... — exclamou Sernine. — O Sr. Lenormand vai proceder à prisão de Arsène Lupin, o qual, por sua vez, vai registrar a prisão de Sernine.

— Tem muito espírito, Lupin.

— É verdade, Weber, e é por isso que não podemos nunca nos entender.

Durante o trajeto, no automóvel escoltado por três outros carros cheios de agentes, não disse uma palavra. Fizeram com que passasse pela Sûreté. O Sr. Weber, recordando as fugas organizadas por Lupin, mandou que subisse à antropometria, depois levou-o à triagem de presos, de onde foi encaminhado à prisão da Santé. Avisado por telefone, o diretor o esperava. As formalidades de registro de entrada e a passagem da revista foram rápidas.

Às sete horas da tarde, o príncipe Sernine transpunha a soleira da cela 14, segunda divisão.

— Nada mal o apartamento... nada mal mesmo... — declarou ele. — Luz elétrica, aquecimento central, o banheiro... Em suma, todo conforto moderno... Está perfeito, estamos de acordo... Senhor diretor, é com o maior prazer que fico com este apartamento.

Atirou-se todo vestido no leito.

— Ah! Senhor diretor, tenho um pequeno pedido a fazer.

— Qual?

— Peço que não tragam meu chocolate antes das dez horas... Estou morto de sono.

Virou-se para a parede.

Cinco minutos depois dormia profundamente.